I See Grammar

Grammar Book

| 진도용 **개념책** |

Study Plan

Grammar Book과 Practice Book을 동시에 학습!

• **Grammar Book으로 하루에 두 개씩 문법을 학습하고 Practice Book으로 정리해요.**
[50분 * 주 5회 = 3주 완성 / 50분 * 주 3회 = 5주 완성 / 50분 * 주 2회 = 7주 완성]

* 나의 학습 상황에 해당하는 부분을 체크해 보세요. (어려워요!)에 체크한 문법은 다시 한번 복습해 보세요. (GB: Grammar Book / PB: Practice Book)

학습 일차	학습 Unit		학습 날짜	나의 학습 기록	쉬워요!	괜찮아요!	어려워요!	어려운 문법 복습 학습 날짜
1일차	Unit 0 문장의 5형식 p. 5		월 일	GB		✓		월 일
2일차	Unit 1 비교급과 최상급 p. 8	01 비교급과 최상급의 의미와 쓰임	월 일	GB				월 일
				PB				
		02 비교급과 최상급(규칙 변화)		GB				월 일
				PB				
3일차		03 비교급과 최상급(불규칙 변화)	월 일	GB				월 일
				PB				
4일차		04 비교급 + than / 최상급 + of[in]	월 일	GB				월 일
				PB				
		Test		GB				월 일
				PB				
5일차	Unit 2 접속사 p. 20	05 and, but, or의 의미와 쓰임	월 일	GB				월 일
				PB				
		06 before와 after의 의미와 쓰임		GB				월 일
				PB				
6일차		07 when과 because의 의미와 쓰임	월 일	GB				월 일
				PB				
		08 that의 의미와 쓰임		GB				월 일
				PB				
		Test		GB				월 일
				PB				
7일차	Unit 3 to부정사 p. 36	09 to부정사의 형태와 쓰임	월 일	GB				월 일
				PB				
8일차		10 목적어로 쓰이는 to부정사	월 일	GB				월 일
				PB				
		11 부사적 용법의 to부정사		GB				월 일
				PB				

학습 일차	학습 Unit		학습 날짜	나의 학습 기록	어려운 문법 복습 학습 날짜
9 일차	Unit 3 to부정사 p. 36	12 형용사적 용법의 to부정사	월 일	GB / PB	월 일
		Test		GB / PB	월 일
10 일차	Unit 4 동명사 p. 48	13 동명사의 형태와 쓰임	월 일	GB / PB	월 일
		14 목적어로 쓰인 동명사		GB / PB	월 일
11 일차		15 동명사/to부정사를 목적어로 갖는 동사	월 일	GB / PB	월 일
		Test		GB / PB	월 일
12 일차	Unit 5 여러 가지 동사 p. 62	16 2형식 감각동사	월 일	GB / PB	월 일
		17 4형식 수여동사		GB / PB	월 일
13 일차		18 5형식 동사		GB / PB	월 일
		Test		GB / PB	월 일
14 일차	Unit 6 문장의 종류 p. 72	19 명령문	월 일	GB / PB	월 일
		20 제안문		GB / PB	월 일
		21 감탄문		GB / PB	월 일
15 일차		22 부가의문문	월 일	GB / PB	월 일
		Test		GB / PB	월 일

How to Study

진도용 Grammar Book과 문제풀이용 Practice Book을 연계해서 학습해 보세요.
쉬운 개념 학습과 반복 문제 풀이로 문법을 완벽하게 마스터할 수 있어요.

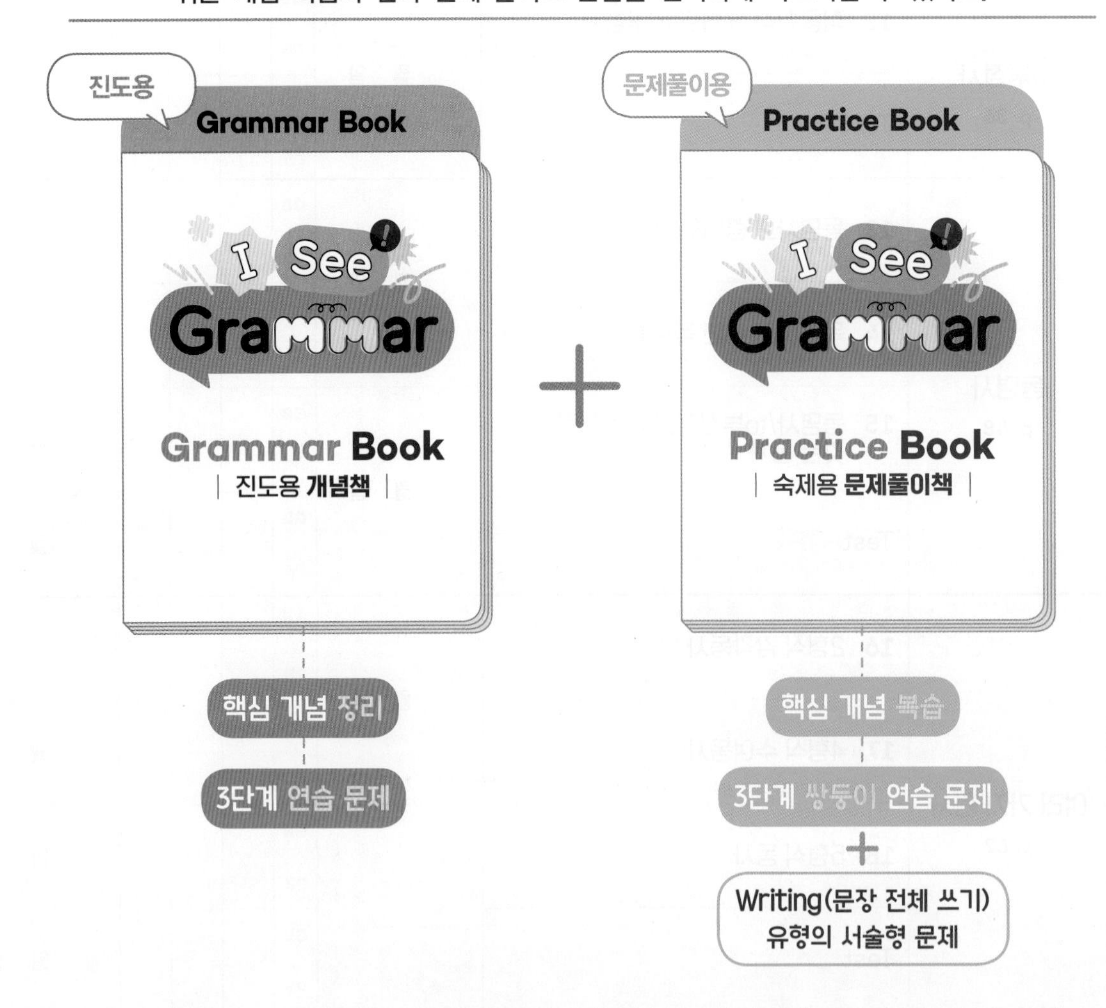

I See Grammar 시리즈 Contents

LEVEL 1	LEVEL 2	LEVEL 3
Unit 0 문장의 구성 요소	Unit 0 문장의 형식(1~3형식)	Unit 0 동사의 시제
Unit 1 셀 수 있는 명사	Unit 1 일반동사의 현재시제	Unit 1 be동사의 과거시제
Unit 2 셀 수 없는 명사	Unit 2 일반동사의 부정문과 의문문	Unit 2 일반동사의 과거시제
Unit 3 관사	Unit 3 형용사	Unit 3 진행시제
Unit 4 인칭대명사	Unit 4 부사	Unit 4 미래시제
Unit 5 지시대명사와 지시형용사	Unit 5 조동사	Unit 5 의문사
Unit 6 be동사의 현재시제	Unit 6 전치사	Unit 6 수량 형용사
Unit 7 be동사의 부정문과 의문문	Unit 7 There is[are] ~	

Unit 0
문장의 5형식

1 1/2/3형식 문장

영어 문장은 주인공인 주어와 주어의 동작이나 상태를 나타내는 동사를 중심으로 만들어진다. 동사의 종류에 따라 뒤에 나오는 요소가 달라지고, 이에 따라 문장을 5가지 형식으로 구분할 수 있다.

1형식 문장: 주어 + 동사
- 주어와 동사 이외에 동사나 문장을 수식하는 말이 올 수 있다.

The sun	shines	(brightly).
주어	동사	수식하는 말

해가 (밝게) 빛난다.

2형식 문장: 주어 + 동사 + 주격보어
- 주격보어는 주어를 보충해 주는 말로, 명사나 형용사가 온다.
- 2형식 문장에는 주로 be동사와 감각동사가 쓰인다.

The man	is(be동사) looks(감각동사)	happy.
주어	동사	주격보어

그 남자는 [행복하다. / 행복해 보인다.

3형식 문장: 주어 + 동사 + 목적어
- 목적어는 주어의 행동이 무엇 또는 누구를 대상으로 하는지 나타내는 말로, 명사나 대명사가 온다.

The girl	likes	apples.
주어	동사	목적어

그 소녀는 사과를 좋아한다.

정답 • p. 2

문제로 익히기

A 다음 문장에서 동사에 동그라미, 보어에 네모, 목적어에 밑줄을 치세요.

1 The flowers are beautiful. 그 꽃들은 예쁘다.

2 The people walk very fast. 그 사람들은 매우 빨리 걷는다.

3 We practice the piano every day. 우리는 매일 피아노를 연습한다.

B 다음을 자연스러운 문장이 되도록 연결한 후, 해석과 형식을 쓰세요.

1 The leaves • • walk slowly. ______ ______

2 The woman • • look colorful. ______ ______

3 The boys • • wears glasses. ______ ______

2 4형식 문장

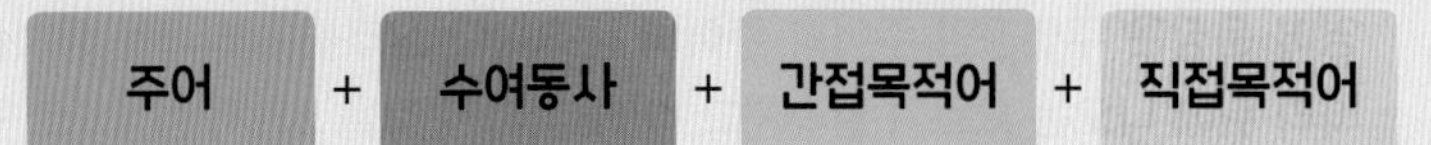

- 4형식 문장의 동사는 '주다'라는 의미를 갖고 있으며, 두 개의 목적어를 갖는다.

He	gives	me	a gift.
주어	수여동사	간접목적어	직접목적어

그는 나에게 선물을 준다.

간접목적어와 직접목적어는 어떤 차이가 있니?

우리말로 해석할 때, 간접목적어는 '~에게'로 해석하고, 직접목적어는 '~을'로 해석해야 해.

- 4형식에 쓰이는 동사에는 give, send, teach, show, buy(사 주다), make(만들어 주다), ask 등이 있다.
- 간접목적어(~에게)는 전치사(to, for, of)를 사용해서 직접목적어(~을) 뒤로 옮길 수 있는데, 동사에 따라 전치사가 달라진다. give, send, teach, show 등은 전치사 to를, buy, make 등은 전치사 for를, 그리고 ask는 전치사 of를 쓴다.

I send her an e-mail. (4형식) 나는 그녀에게 이메일을 보낸다.

I send an e-mail to her. (3형식)

위 표에 나온 4형식 문장도 전치사를 이용해 바꿀 수 있겠구나!

He buys the boy ice cream. (4형식) 그는 그 소년에게 아이스크림을 사 준다.

He buys ice cream for the boy. (3형식)

맞아. 동사가 give니까 to를 써서 He gives a gift to me.로 쓰면 돼.

정답 • p. 2

문제로 익히기

A 다음 문장에서 간접목적어에 동그라미, 직접목적어에 밑줄을 치세요.

1 They gave us some food. 그들은 우리에게 약간의 음식을 주었다.

2 She teaches them math. 그녀는 그들에게 수학을 가르친다.

3 He sends his parents a letter. 그는 그의 부모님께 편지를 보낸다.

4 Can you show me the picture? 나에게 그 사진을 보여 줄 수 있니?

B 다음 문장의 빈칸에 알맞은 말을 쓰세요.

1 Can I ask a favor ________ you? 내가 너에게 부탁 하나 해도 될까?

2 I gave cold water ________ him. 나는 그에게 시원한 물을 주었다.

3 The man buy toys ________ his children. 그 남자는 자신의 아이들에게 장난감을 사 준다.

3 5형식 문장

주어 + 동사 + 목적어 + 목적격보어

• 목적격보어는 목적어를 보충하는 말로, 명사나 형용사가 온다.

They	made	him	a teacher. (명사) happy. (형용사)
주어	동사	목적어	목적격보어

그들은 그를 [선생님으로 / 행복하게] 만들었다.

• 5형식에 쓰이는 동사에는 make(~을 …하게 만들다), call(~을 …라고 부르다), think(~을 …라고 생각하다), keep(~을 …로 유지하다) 등이 있다.

Everyone calls the dog Max. 모든 사람들이 그 개를 맥스라고 부른다.

Judy thinks the movie interesting. 주디는 그 영화가 재미있다고 생각한다.

Tip! 같은 동사라도 문장에 따라 다른 형식으로 사용된다.

I will make a chair. 나는 의자를 만들 것이다. (3형식)

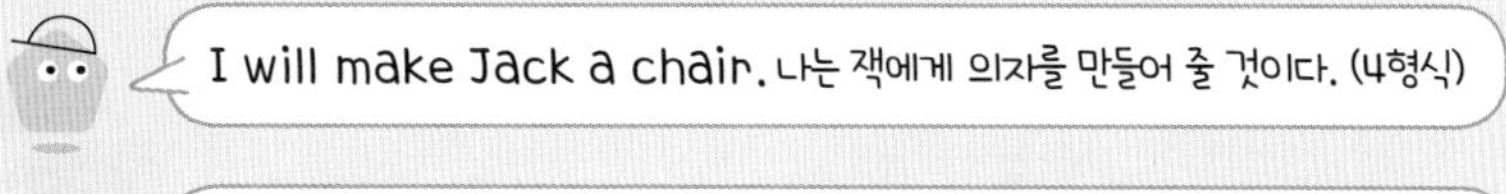

I will make a chair strong. 나는 의자를 튼튼하게 만들 것이다. (5형식)

정답 • p. 2

문제로 익히기

A 다음 문장에서 목적어에 동그라미, 목적격보어에 밑줄을 치세요.

1 She thought the book boring. 그녀는 그 책이 지루하다고 생각했다.

2 The heater keeps the room warm. 그 히터는 그 방을 따뜻하게 유지한다.

3 Tom makes his little sister angry. 톰은 그의 여동생을 화나게 만든다.

4 People call the superhero Spiderman. 사람들은 그 슈퍼히어로를 '스파이더맨'이라고 부른다.

B 다음 문장을 해석한 후, 문장의 형식을 구분하세요.

1 We watch a football game. ______________________ ______

2 He makes the room dark. ______________________ ______

3 Jerry named his pet Cara. ______________________ ______

4 She sent Jim a Christmas card. ______________________ ______

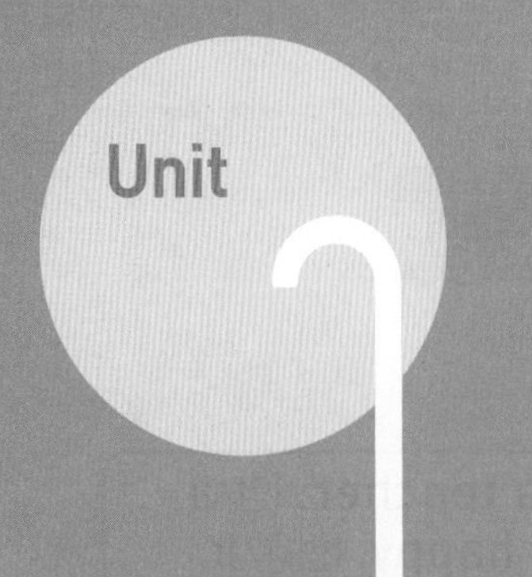

Unit 1 비교급과 최상급

개념 미리 보기

- 우리말에서처럼 영어에서도 형용사나 부사의 형태를 바꾸어 '더 ~한(하게)' 또는 '가장 ~한(하게)'으로 비교급과 최상급을 나타낼 수 있어요.
- 비교급 표현은 '(~보다) 더 …한(하게)'의 의미로, 두 대상을 서로 비교할 때 써요.
- 최상급 표현은 여러 개 중 '가장 …한(하게)'이라는 의미를 나타내요.

펼쳐 보기

비교급과 최상급

Ron runs **fast.** 론은 빨리 달린다.

Sally runs **faster** than Ron. 샐리는 론보다 더 빨리 달린다.

Ann runs **the fastest** of the three. 앤은 셋 중에서 가장 빨리 달린다.

형용사와 부사에
-er과 -est를 붙이면
비교급과 최상급이 되는구나.

비교급 뒤엔 than이 와서
'~보다'의 의미를 나타내고,
최상급 앞엔 the를 써 줘.

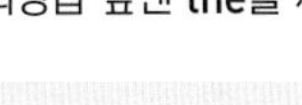

그 밖에 주의해야 할 규칙과
예외적인 것들은 따로
정리해 두어야 해.

01

비교급과 최상급의 의미와 쓰임

*Practice Book의 pp. 102~103 [형용사&부사의 비교급과 최상급] 표를 참고하세요.
*원급: 형용사나 부사의 원래 형태

▶ 두 개의 대상을 비교하는 표현인 비교급은 '~보다 더 …한[하게]'라는 뜻으로 형용사나 부사에 -er을 붙여서 만든다.

Ted jumps high. 테드는 높이 뛴다.
Harry jumps higher than Ted. 해리는 테드보다 더 높이 뛴다.

▶ 여럿 중에서 '가장 ~한[하게]'의 뜻을 갖는 최상급은 형용사나 부사에 -est를 붙여서 만든다.

Mike jumps the highest. 마이크는 가장 높이 뛴다.

Plus Tip
'가장 ~한(하게)'을 나타내는 최상급은 비교 대상 중 하나(한 명)로 정해지므로 대상과 함께 쓰일 때 그 앞에 the를 쓴다.

골라 쓰기

다음에서 원급, 비교급, 최상급을 찾아 해당하는 곳에 쓰세요.

~~tall~~	longest	strong	cheap	cheaper	~~tallest~~
strongest	longer	~~taller~~	long	stronger	cheapest

	원급	비교급	최상급
1	tall	taller	tallest
2			
3			
4			

tall 키가 큰
long 긴
strong 힘 센, 강한
cheap 저렴한

정답 ● p. 2

고르기

B 다음 우리말과 같도록 괄호 안에서 알맞은 말을 고르세요.

1 Susan is (taller / tallest) than Jake.
수잔은 제이크보다 **키가 더 크다.**

2 The giraffe has the (longer / longest) neck.
기린은 **가장 긴** 목을 갖고 있다.

3 The cheetah is (faster / the fastest) animal.
치타는 **가장 빠른** 동물이다.

4 This book is (thick / thicker) than that book.
이 책은 저 책보다 **더 두껍다.**

5 A table tennis ball is (smaller / the smallest) than a golf ball.
탁구공은 골프공보다 **더 작다.**

giraffe 기린
neck 목
cheetah 치타
fast 빠른
animal 동물
thick 두꺼운
table tennis 탁구

그림 보고 빈칸 채우기

C 다음 그림을 보고, 빈칸에 알맞은 말을 쓰세요.

1
Building A is a tall building.
Building B is ________ than Building A.
Building C is ________ ________ building.

2
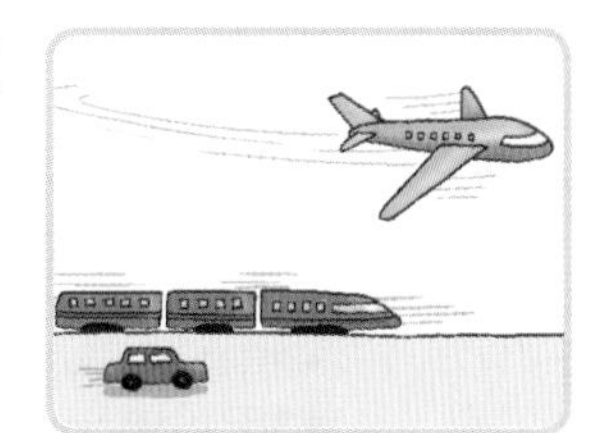
The car goes fast.
The train goes ________ than the car.
The airplane goes ________ ________.

3

Jane has short hair.
Ann has ________ hair than Jane.
Ian has ________ ________ hair.

4

Bob is strong.
Tim is ________ than Bob.
Greg is ________ ________.

building 건물
train 기차
airplane 비행기
short 짧은
hair 머리(털)

02

비교급과 최상급 (규칙 변화)

*Practice Book의 pp. 102~103 [형용사&부사의 비교급과 최상급] 표를 참고하세요.

▶ **다음의 경우는 비교급과 최상급의 형태 변화에 주의한다.**

❶ -e로 끝나면 -r, -st만 붙인다.

large 큰 → larger → largest   wide 넓은 → wider → widest

❷ 〈자음 + y〉로 끝나면 y를 i로 바꾼 후 -er, -est를 붙인다.

easy 쉬운 → easier → easiest   early 일찍 → earlier → earliest

❸ 〈짧은 모음 + 짧은 자음〉으로 끝나면 끝 자음을 한 번 더 쓴 후 -er, -est를 붙인다.

hot 뜨거운 → hotter → hottest   fat 뚱뚱한 → fatter → fattest

❹ 긴 단어나 -ly로 끝나는 부사의 경우는 -er, -est를 붙이는 대신 앞에 more, most를 붙인다.

difficult 어려운 → more difficult → most difficult

easily 쉽게 → more easily → most easily

Plus Tip

긴 단어란 모음 소리가 3개 이상 있는 3음절 이상의 단어를 말한다.
- 1음절: sad, fast 등
- 2음절: happy, hungry 등
- 3음절: delicious, interesting 등

고르기

A 다음 괄호 안에서 알맞은 말을 고르세요.

1 It is (hotter / hoter) today. 오늘은 더 덥다.

2 It is the (prettyest / prettiest) dress. 그것은 가장 예쁜 드레스이다.

3 My room is the (largeest / largest) in my house. 내 방은 우리 집에서 가장 크다.

4 Please read it (more carefully / carefullier). 그것을 더 주의 깊게 읽으세요.

5 That movie was the (interestingest / most interesting) one.
그 영화는 가장 흥미로운 것이었다.

hot 더운
pretty 예쁜
carefully 주의 깊게
interesting 흥미로운

정답 ● p. 2

바꿔 쓰기

B 다음 형용사나 부사를 알맞은 형태로 바꿔 해당하는 곳에 쓰세요.

~~large~~	quickly	happy	famous
young	cute	busy	early
delicious	nice	heavy	warm
near	important	wide	dark

-r	-er	-ier	more
1 larger	5 ______	9 ______	13 ______ ______
2 ______	6 ______	10 ______	14 ______ ______
3 ______	7 ______	11 ______	15 ______ ______
4 ______	8 ______	12 ______	16 ______ ______

quickly 빨리
famous 유명한
cute 귀여운
busy 바쁜
early 일찍
delicious 맛있는
heavy 무거운
near 가까운
important 중요한
wide 넓은

빈칸 채우기

C 다음 주어진 말을 이용하여 빈칸에 알맞은 말을 쓰세요.

1 It is ______ today than yesterday. (hot) 오늘은 어제보다 더 덥다.

2 A soccer ball is ______ than a baseball. (big) 축구공은 야구공보다 더 크다.

3 Health is ______ ______ than money. (important) 건강이 돈보다 더 중요하다.

4 This movie is ______ ______ one. (sad) 이 영화는 가장 슬픈 것이다.

5 English is the ______ ______ subject for me. (difficult)
영어는 나에게 가장 어려운 과목이다.

6 Saturday is ______ ______ day for Mom. (busy)
토요일은 엄마에게 가장 바쁜 날이다.

baseball 야구공
health 건강
subject 과목
difficult 어려운

Practice Book p. 6 Go!

*Practice Book의 p. 103 [형용사&부사의 비교급과 최상급] 표를 참고하세요.

03 비교급과 최상급 (불규칙 변화)

good 좋은 < **better** 더 좋은 < **best** 가장 좋은

▶ 비교급과 최상급의 형태가 달라지는 단어들에 유의한다.

원급	비교급	최상급
good 좋은 / well 잘	better 더 좋은 / 더 잘	best 가장 좋은 / 가장 잘
bad 나쁜 / ill 아픈	worse 더 나쁜	worst 가장 나쁜
little 적은	less 더 적은	least 가장 적은
many / much 많은	more 더 많은	most 가장 많은
far 먼 / 멀리	farther 더 먼 / 더 멀리	farthest 가장 먼 / 가장 멀리

Peter got a better score.
피터는 더 좋은 성적을 받았다.

Sam got the best score.
샘은 가장 좋은 성적을 받았다.

Dan sings better.
댄은 노래를 더 잘한다.

Leo sings the best.
레오는 노래를 가장 잘한다.

Plus Tip
many는 셀 수 있는 명사의 복수형과 much는 셀 수 없는 명사와 쓰인다.
• many apples • much water

고쳐 쓰기 1

다음 밑줄 친 부분을 바르게 고쳐 쓰세요.

1 Tom baked gooder cookies than Jim. → ________
톰은 짐보다 쿠키를 더 잘 굽는다.

2 I drank the littlest juice of my friends. → ________
나는 내 친구들 중에서 가장 적게 주스를 마셨다.

3 She swims weller than I. → ________
그녀는 나보다 수영을 더 잘한다.

4 He got the baddest score of all the students. → ________
그는 모든 학생들 중에서 가장 나쁜 성적을 받았다.

5 Neptune is the farest planet from the sun. → ________
해왕성은 태양으로부터 가장 먼 행성이다.

bake 굽다
drink 마시다
little 적은
juice 주스
swim 수영하다
score 점수, 성적
all 모든
Neptune 해왕성
planet 행성

정답 • p. 2

빈칸 채우기 B 다음 주어진 말을 이용하여 빈칸에 알맞은 말을 쓰세요.

1 Sandy has ________ pets than Jeremy. (many)
샌디는 제레미보다 더 많은 반려동물을 갖고 있다.

2 I feel ________ than usual. (good)
나는 평소보다 기분이 더 좋다.

3 Who dances ________ ________? (well)
누가 가장 춤을 잘 추니?

4 Peter ate ________ ________. (little)
피터가 가장 적게 먹었다.

5 I have ________ ________ cookies. (many)
내가 가장 많은 쿠키를 가지고 있다.

pet 반려동물
feel 느끼다
usual 평소

고쳐 쓰기 2 C 다음 우리말과 같도록 밑줄 친 부분을 고쳐 문장을 완성하세요.

1 He is a good singer.
→ He is the best singer in town.
그는 동네에서 **최고의** 가수이다.

2 Harry lives far away.
→ Harry lives ________ ________ away of us.
해리는 우리 중 **가장 멀리** 떨어져 산다.

3 The boy draws pictures well.
→ The boy draws pictures ________ ________ of the children.
그 소년은 그 아이들 중에서 그림을 **가장 잘** 그린다.

4 Tom took many pictures.
→ Tom took ________ pictures than I.
톰은 나보다 **더 많은** 사진을 찍었다.

5 Today's weather was bad.
→ Today's weather was ________ ________ this week.
오늘의 날씨는 이번 주에 **최악**이었다.

singer 가수
town 동네, 마을
far away 멀리
draw 그리다
picture 그림, 사진
take a picture 사진을 찍다
weather 날씨
week 주

Practice Book p. 10 Go!

04 비교급 + than / 최상급 + of(in)

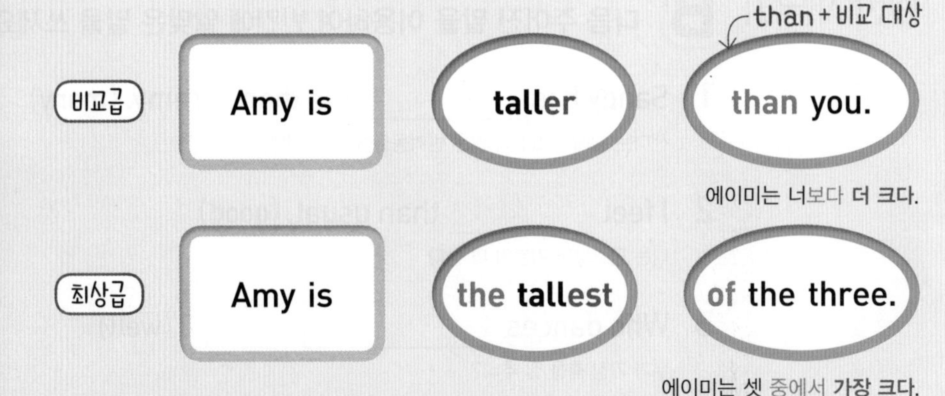

▶ **사람이나 사물을 다른 대상과 비교할 때는 than 뒤에 비교 대상을 넣는다.**

My dad is older than my mom. 우리 아빠는 엄마보다 나이가 더 많다.

My mom swims faster than my dad. 우리 엄마는 아빠보다 더 빨리 수영한다.

▶ **최상급 뒤의 of는 '~ 중에서', in은 '~에서'라는 뜻으로 비교 대상의 전체 범위를 나타낸다.**

Tim is the youngest of us. 팀은 우리들 중에서 가장 어리다.

Bill is the most popular student in his class.
빌은 그의 반에서 가장 인기 많은 학생이다.

Plus Tip

in과 of의 쓰임

in: 어떤 장소나 단체 안에서 최상을 나타냄.
• in China 중국에서 / • in the class 반에서

of: 여러 사람 / 사물 중에서 최상을 나타내고, 뒤에는 주로 명사의 복수형이나 숫자가 옴.
• of the four 넷 중에서

고르기

A 다음 괄호 안에서 알맞은 말을 고르세요.

1 James is (busy / busier) than I. 제임스는 나보다 더 바쁘다.

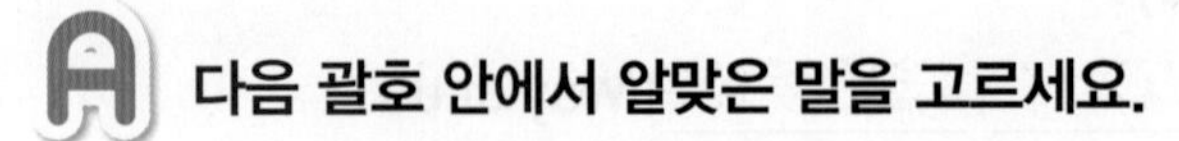

2 I bought a (smaller / smallest) bag than this. 나는 이것보다 더 작은 가방을 샀다.

3 She has the (shorter / shortest) hair of the three. 그녀는 셋 중에서 머리가 가장 짧다.

4 The tree is the (taller / tallest) in the world. 그 나무는 세상에서 가장 키가 크다.

5 Mickey Mouse is the (more famous / most famous) character in the world. 미키마우스는 세상에서 가장 유명한 캐릭터이다.

small 작은
character 캐릭터

정답 ● p. 2

빈칸 채우기

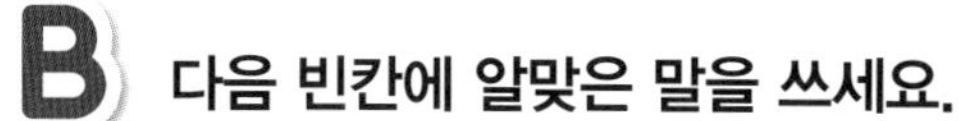

1 He studies harder ___than___ Sam. 그는 샘보다 더 열심히 공부한다.

2 Who is the strongest ________ your family? 너희 가족 중에서 누가 가장 힘이 세니?

3 Grandma walks more slowly ________ Mom. 할머니는 엄마보다 더 천천히 걸으신다.

4 A cheetah is the fastest animal ________ the world. 치타는 세상에서 가장 빠른 동물이다.

5 My shoes are smaller ________ my brother's. 내 신발은 내 남동생 것보다 더 작다.

6 Peter is the smartest boy ________ his class. 피터는 그의 반에서 가장 똑똑한 소년이다.

study 공부하다
hard 열심히
smart 똑똑한

표 보고 빈칸 채우기

다음 표를 보고, 빈칸에 알맞은 말을 쓰세요.

Name	Ken	Betty	Alex
Age	10세	11세	12세

1 Ken is ___younger___ than Betty.

2 Betty is ________ than Ken.

3 Ken is ________ than Alex.

4 Ken is the ________ ________ the three.

5 Alex is the ________ ________ the three.

age 나이

Unit 1

Wrap-up Test

1~2 다음 중 비교급과 최상급의 형태가 <u>틀린</u> 것을 고르세요.

1 ① dry – drier – driest
② hot – hoter – hotest
③ good – better – best
④ much – more – most
⑤ healthy – healthier – healthiest

2 ① bad – worse – worst
② nice – nicer – nicest
③ far – farther – farthest
④ young – younger – youngest
⑤ handsome – handsomer – handsomest

3 다음 빈칸에 공통으로 알맞은 것을 고르세요.

• She reads ______ books than I.
• Sally walks ______ quickly than Jack.

① many ② much
③ more ④ less
⑤ little

4~5 다음 우리말과 같도록 빈칸에 알맞은 것을 고르세요.

4

She has ______ voice.
그녀는 가장 아름다운 목소리를 가졌다.

① beautiful ② beautifuler
③ beautifulest ④ more beautiful
⑤ the most beautiful

5

This apple is ______ than that one.
이 사과는 저것보다 더 맛있다.

① good ② well
③ more ④ more delicious
⑤ the most delicious

6 다음 빈칸에 알맞은 말이 바르게 짝지어진 것을 고르세요.

• The room is colder ______ outside.
• He is the best dancer ______ my school.

① in – in ② than – of
③ than – in ④ of – than
⑤ than – than

7~8 다음 괄호 안에서 알맞은 말을 고르세요.

7

Friday is (busiest / the busiest) day for me.

8

Russia is (larger / largest) than China.

9~10 다음 중 틀린 문장을 고르세요.

9
① Tim can jump higher than Sue.
② May is warmer than March in Korea.
③ She is the wisest student in the class.
④ This dress looks prettyer than that one.
⑤ The ant is smaller than the ladybug.

10
① She drinks less water than I.
② Jeremy has more dogs than Ann.
③ You have to eat more healthy food.
④ This is the most exciting game of all.
⑤ Sue is the smartest student of the three.

11 다음 밑줄 친 부분을 바르게 고쳐 쓰세요.

Sarah plays the violin <u>the well</u> of my friends.

→ ______________

12 다음 그림을 보고, 질문에 답하세요.

Q Who has the least money of the three?
A ______________________

13~14 다음 우리말과 같도록 주어진 말을 이용하여 문장을 완성하세요.

13

이 셔츠는 우리 가게에서 가장 비싸다.

→ ______________________

(this shirt, expensive, store)

14

IU는 한국에서 가장 유명한 가수이다.

→ ______________________

(famous, IU, Korea)

15 다음 주어진 말을 바르게 배열하여 문장을 완성하세요.

→ Lotte World Tower ______________
______________________.

(Korea, the, tallest, in, is, building)

Unit 2

접속사

개념 미리 보기

- 단어와 단어, 문장과 문장 등 앞과 뒤의 말을 서로 연결해 주는 것을 '접속사'라고 해요.
- 접속사는 앞뒤의 내용을 대등하게 이어 주는 것(~와, 또는, 그러나)과 추가적인 정보를 알려 주는 것 두 가지가 있어요.

펼쳐 보기

앞뒤 말 대등하게 연결

I have dogs **and** (~와) cats. 나는 개들과 고양이들이 있다.

I like dogs, **but** (그러나) I don't like cats. 나는 개들은 좋아하지만, 고양이들은 좋아하지 않는다.

I go there by bus **or** (또는) by subway. 나는 버스나 지하철로 거기에 간다.

추가적인 정보 제공

I wash my hands **before** (~전에) I eat dinner. 나는 저녁 먹기 전에 손을 씻는다.

I eat snacks **when** (~할 때) I am hungry. 나는 배가 고플 때 간식을 먹는다.

I wear my coat **because** (~때문에) it is cold. 춥기 때문에 나는 코트를 입는다.

We know **that** (~라고) there are no trains in Jejudo. 나는 제주도에는 기차가 없다는 것을 안다.

05 and, but, or의 의미와 쓰임

접속사는 단어와 단어, 구와 구, 문장과 문장을 연결해 주는 역할을 한다.

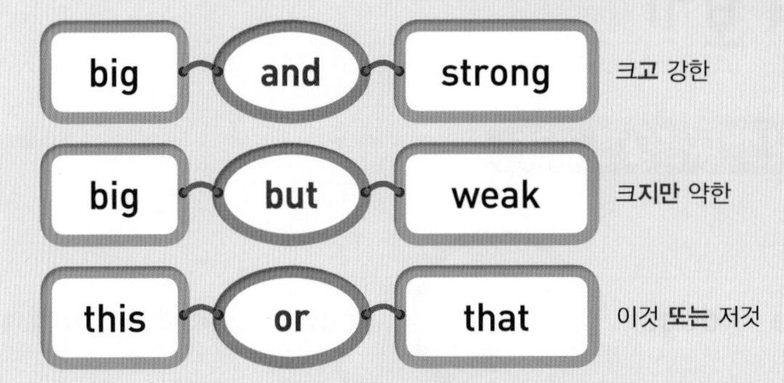

▶ **and: ~와(과), 그리고**

[명사 + 명사] **Jack and Mary are my friends.** 잭과 메리는 내 친구들이다.

[형용사 + 형용사] **The man is tall and handsome.** 그 남자는 키가 크고 잘생겼다.

▶ **but: 그러나, ~지만**

[형용사 + 형용사] **The girl is young but smart.** 그 소녀는 어리지만 똑똑하다.

[문장 + 문장] **My brother can swim, but I can't swim.** 내 남동생은 수영을 할 수 있지만, 나는 수영을 하지 못한다.

▶ **or: 또는, ~나**

[명사 + 명사] **I will drink juice or milk.** 나는 주스 또는 우유를 마실 것이다.

[전치사구 + 전치사구] **The child goes to school by bus or on foot.** 그 아이는 버스를 타거나 걸어서 등교한다.

Plus Tip

and, but, or로 연결되는 내용은 접속사 앞과 뒤의 성격이 같아야 한다.

- I can play **the piano** and **the violin**. (구)
- **I feel tired**, but **I have to work**. (절)

고르기

A 다음 괄호 안에서 알맞은 말을 고르세요.

1 I have a pencil (and / but) a ruler. 나는 연필과 자를 갖고 있다.

2 Sam likes history (and / but) math. 샘은 역사와 수학을 좋아한다.

3 She was poor (and / but) happy. 그녀는 가난했지만 행복했다.

4 Jim (and / but) Jane are my cousins. 짐과 제인은 나의 사촌들이다.

5 Josh is short (and / but) strong. 조쉬는 작지만 힘이 세다.

6 I walk fast, (and / but) he walks slowly. 나는 빨리 걷지만, 그는 천천히 걷는다.

ruler 자
history 역사
math 수학
poor 가난한
cousin 사촌
slowly 천천히

정답 • p. 3

빈칸 채우기

B 다음 빈칸에 but이나 or 중 알맞은 말을 쓰세요.

1 You can say yes ________ no. 너는 예나 아니요로 대답할 수 있다.

2 I will eat a hamburger ________ some pizza. 나는 햄버거나 피자를 먹을 것이다.

3 Jane is short, ________ her brother is tall. 제인은 키가 작지만, 그녀의 남동생은 키가 크다.

4 The movie was long ________ interesting. 그 영화는 길었지만 흥미로웠다.

5 Today ________ tomorrow is her birthday. 오늘이나 내일이 그녀의 생일이다.

hamburger 햄버거
interesting 흥미 있는

바꿔 쓰기

C 다음 빈칸에 알맞은 말을 골라 and를 이용하여 밑줄 친 부분을 다시 쓰세요.

~~art~~	strong	vegetables	Willy
listened to music	I clean my room		

1 Tom likes history.
→ Tom likes history and art.

2 Fruits are good for you.
→ ________________ are good for you.

3 He will meet Kate.
→ He will meet ________________.

4 Bears are big.
→ Bears are ________________.

5 They watched TV.
→ They ________________.

6 My mom cooks dinner.
→ ________________

art 미술
vegetable 채소
listen to music 음악을 듣다
bear 곰
cook 요리하다

Practice Book p. 20 Go!

06 before와 after의 의미와 쓰임

접속사 after와 before는 어떤 일의 전후 관계를 나타낼 때 쓴다. before와 after가 이끄는 문장은 문장의 앞이나 중간에 올 수 있다.

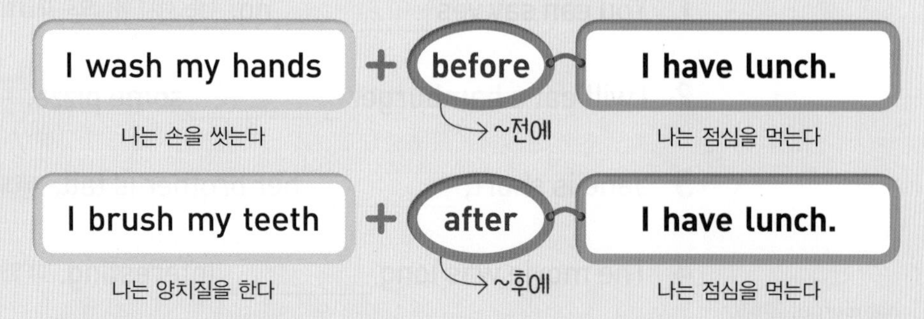

▶ **before: ~ 전에**

I like to listen to music before I go to sleep.
나는 잠들기 전에, 음악을 듣는 것을 좋아한다.

= Before I go to sleep, I like to listen to music.

Tip! 접속사가 이끄는 문장이 앞에 올 경우는 문장의 끝에 쉼표(,)를 써야 하며, 접속사가 포함된 문장을 먼저 해석하는 것이 자연스럽다.

▶ **after: ~ 후에**

There will always be sunshine after it rains.
비가 내린 후에, 언제나 햇살이 비출 것이다.

= After it rains, there will always be sunshine.

Plus Tip

before와 after 뒤에는 절(주어 + 동사~)이 아닌 명사가 올 수도 있다.

- I take a shower **before bed**.
  나는 자기 전에 샤워를 한다.
- The people met **after dinner**.
  그 사람들은 저녁 식사 후에 만났다.

A 다음 괄호 안에서 알맞은 말을 고르세요.

1 Do it (before / after) you forget.
잊어버리기 전에 그것을 해라.

2 We can see stars (before / after) the sun goes down.
우리는 해가 진 다음 별들을 볼 수 있다.

3 Sally knocks on the door (before / after) she comes in.
샐리는 들어오기 전에 노크를 한다.

4 You must put on a helmet (before / after) you ride a bike.
너는 자전거를 타기 전에 헬멧을 써야 한다.

5 People must take a rest (before / after) they work long hours.
사람들은 오래 일한 후에 휴식을 취해야 한다.

forget 잊다, 잊어버리다
go down (해가) 지다
knock 노크하다
come in 들어오다
put on ~을 쓰다, 입다
helmet 헬멧
ride a bike 자전거를 타다
take a rest 휴식을 취하다

정답 ● p. 3

빈칸 채우기

B 다음 빈칸에 before와 after 중 알맞은 말을 쓰세요.

1 I take a shower __________ I have dinner.
나는 저녁을 먹기 전에 샤워를 한다.

2 __________ I finished my homework, I watched TV.
나는 숙제를 끝낸 후에 TV를 시청했다.

3 Ann was angry __________ she heard the news.
앤은 그 소식을 들은 후 화가 났다.

4 Rick cleaned the room __________ he went out.
릭은 외출하기 전에 자신의 방을 청소했다.

5 __________ my dad gets up, he always drinks a cup of coffee.
우리 아빠는 일어난 후, 항상 커피 한 잔을 드신다.

take a shower 샤워하다
angry 화가 난
hear ~을 듣다
go out 외출하다
get up 일어나다, 기상하다
a cup of 한 잔의

주어진 말 이용하여 문장 완성하기

C 다음 주어진 말을 이용하여 문장을 완성하세요. (필요하면 동사의 형태를 알맞게 바꾸세요.)

1 After my mom has lunch, she often goes for a walk.
(my mom, have lunch, after)
우리 엄마는 점심 식사를 한 후에, 그녀는 종종 산책을 한다.

2 You should do some warm-up exercises ____________________.
(you, swim, before)
너는 수영을 하기 전에, 준비 운동을 해야 한다.

3 I always put cream on my body ____________________.
(take a warm shower, after)
나는 따뜻한 물로 샤워한 후에, 항상 몸에 크림을 바른다.

4 ____________________, we have to look at both ways carefully.
(cross the street, before)
우리는 길을 건너기 전에, 양쪽 길을 주의 깊게 봐야 한다.

5 ____________________, she always washes her hands.
(Susan, come back home, after)
수잔은 집에 돌아온 후에, 그녀는 항상 그녀의 손을 씻는다.

go for a walk 산책하다
warm-up exercise 준비 운동
cream 크림
body 몸
cross 건너다
street 길, 거리
both 양쪽
way 길
carefully 주의 깊게

Practice Book p. 24 Go!

07

when과 because의 의미와 쓰임

접속사 when은 '때', because는 '원인'을 나타낼 때 쓴다.

I was hungry + when ⌒ the classes were over.

나는 배가 고팠다 / ~할 때 / 수업이 끝났다

I was sleepy + because ⌒ I had a heavy lunch.

나는 졸렸다 / ~이기 때문에 / 나는 점심을 너무 많이 먹었다

▶ when과 because가 이끄는 문장은 문장의 앞이나 중간에 올 수 있다.

▶ when: ~할 때

He was thirsty when he woke up. 그가 일어났을 때 그는 목이 말랐다.

= When he woke up, he was thirsty.

▶ because: ~이기 때문에, ~해서

He drank some juice because he was thirsty.
목이 말라서 그는 주스를 좀 마셨다.

= Because he was thirsty, he drank some juice.

Plus Tip

when은 의문문에서 '언제'라는 뜻의 의문사로 쓰인다.

• When do you get up? 너는 언제 일어나니?

고르기

A 다음 괄호 안에서 알맞은 말을 고르세요.

1 I feel good today (when / because) I slept well last night.
나는 어젯밤에 잘 자서 오늘 기분이 좋다.

2 It was snowing heavily (because / when) we arrived there.
우리가 그곳에 도착했을 때, 눈이 많이 내리고 있었다.

3 Jane took a rest (when / because) she had a headache.
제인은 머리가 아파서 휴식을 취했다.

4 My mom wasn't at home (when / because) I called her.
내가 그녀에게 전화했을 때, 엄마는 집에 안 계셨다.

5 He was hungry (because / when) he skipped breakfast.
그는 아침 식사를 하지 않아서 배가 고팠다.

6 (When / Because) Lily goes shopping, she always brings coupons.
릴리는 쇼핑을 갈 때, 그녀는 항상 쿠폰을 가져간다.

snow 눈이 내리다
heavily 심하게
arrive 도착하다
headache 두통
call 전화하다
skip 건너뛰다
bring 가져가다
coupon 쿠폰

정답 ● p. 3

고쳐 쓰기

B 다음 밑줄 친 부분을 바르게 고쳐 쓰세요.

1 The room was empty because Rin opened the door. → ________
린이 문을 열었을 때, 그 방은 비어 있었다.

2 When his car wasn't working, he couldn't drive it. → ________
그의 차가 작동하지 않았기 때문에 그는 그것을 운전할 수 없었다.

3 Because I woke up, I was cold and hungry. → ________
내가 일어났을 때, 나는 춥고 배가 고팠다.

4 Because I got home, nobody was in the house. → ________
내가 집에 도착했을 때, 아무도 집에 없었다.

5 I can't buy the ring when it is too expensive. → ________
그 반지는 너무 비싸서 나는 그것을 살 수 없다.

empty 비어 있는
work 작동하다
drive 운전하다
wake up 일어나다
nobody 아무도
ring 반지
too 너무

주어진 말 이용하여 문장 완성하기

C 다음 주어진 말과 when과 because를 이용하여 문장을 완성하세요. (필요하면 동사의 형태를 알맞게 바꾸세요.)

1 I couldn't go to school because I was sick. (be sick)
나는 아파서 학교에 갈 수 없었다.

2 ________________, they surprised me. (enter the room)
내가 방에 들어갔을 때, 그들은 나를 놀라게 했다.

3 We can't go on a picnic ________________. (be raining)
비가 와서 우리는 소풍을 갈 수 없다.

4 Jake turned on the light ________________. (it, too dark)
너무 어두워서 제이크는 전등을 켰다.

5 Be careful ________________. (cross the street)
길을 건널 때는 조심해라.

6 Tim caught a cold ________________. (wear a coat)
팀은 코트를 입지 않아서 감기에 걸렸다.

sick 아픈
enter 들어가다
surprise 놀라게 하다
go on a picnic 소풍 가다
rain 비가 오다
turn on ~을 켜다
light 전등
dark 어두운
careful 조심하는
catch a cold 감기에 걸리다

Practice Book p. 28 Go!

08 that의 의미와 쓰임

접속사 that이 이끄는 문장은 동사의 목적어 역할을 한다.

I know — that — my sister doesn't like eggs.
나는 안다 — ~라고 — 우리 누나는 계란을 좋아하지 않는다

▶ 접속사 that이 이끄는 문장은 동사 know, think, say, believe, hope, forget, remember, promise 등의 목적어로 쓰인다.

She said. + The news was true.
→ She said that the news was true. 그녀는 그 뉴스가 사실이라고 말했다.

I promise. + I will study hard.
→ I promise that I will study hard. 저는 열심히 공부할 것을 약속해요.

▶ 접속사 that은 '~라고, ~라는 것'으로 해석하며 생략할 수 있다.

Andrew said (that) the story was true. 앤드류는 그 이야기가 사실이라고 말했다.

Plus Tip
that은 보어를 이끄는 접속사로도 쓰인다.
• The problem is that he has no money.
문제는 그가 돈이 없다는 것이다.

동그라미 하고, 표시하기

A 다음 문장의 동사에 동그라미 하고, that이 들어갈 자리에 ✔ 표시를 하세요.

1 Kate hopes she speaks Korean well. 케이트는 한국어를 잘 말하기를 바란다.

2 I promise I'll never be late again. 나는 다시는 늦지 않을 거라고 약속한다.

3 They didn't know they got lost. 그들은 그들이 길을 잃었다는 것을 알지 못했다.

4 Jake forgot the last bus left at 12:00 o'clock.
제이크는 마지막 버스가 12시 정각에 떠났다는 것을 잊어버렸다.

5 I can't believe the painting is fake. 나는 그 그림이 가짜라는 것을 믿을 수 없다.

6 Did you know an octopus has eight legs? 너는 문어의 다리가 8개라는 것을 알았니?

Korean 한국어
late 늦은
get lost 길을 잃다
leave 떠나다
o'clock 시, 정각
painting 그림
fake 가짜의
octopus 문어

정답 • p. 3

고르기

B 다음 빈칸에 that이 들어가는 것을 고르세요.

1 ① You have to believe ________ he is alive.
② She was late for school ________ she got up late.

2 ① Do it first ________ you go out.
② Can you promise ________ you'll keep your word?

3 ① When did you know ________ Peter finished the project?
② Do you want juice ________ water?

4 ① The problem is ________ I don't have any free time.
② I finished my homework ________ Mom came back home.

5 ① Jim didn't have money ________ he spent all pocket money.
② Jane remembered ________ tomorrow is Sam's birthday.

alive 살아 있는
keep one's word 약속을 지키다
finish 끝내다
project 프로젝트
free 자유로운
spend 쓰다
pocket money 용돈

주어진 말 이용하여 문장 완성하기

C 다음 주어진 말과 that을 이용하여 문장을 완성하세요. (필요하면 동사의 형태를 알맞게 바꾸세요.)

1 I know that Sam helped Susie. (Sam, help Susie)
나는 샘이 수지를 도와줬다는 것을 알고 있다.

2 I hope ________________. (okay)
나는 네가 아무 일 없기를 바라.

3 Our teacher knows ________________. (brother and sister)
우리 선생님은 우리가 남매라는 것을 안다.

4 I couldn't remember ________________. (meet the man before)
나는 전에 그 남자를 만난 것을 기억하지 못했다.

5 I don't believe ________________. (Sera, move to another city)
나는 세라가 다른 도시로 이사 갈 것이라는 것을 믿지 않는다.

okay 괜찮은, 아무 일 없는
move to ~로 이사 가다
another 또 하나의, 다른
city 도시

Practice Book p. 32 Go!

Unit 2

Wrap-up Test

1~3 다음 괄호 안에서 알맞은 말을 고르세요.

1

This book is thin (or / but) boring.

2

You must be careful (before / after) you act.

3

She didn't know (that / because) her father was a police officer.

4~5 다음 빈칸에 공통으로 알맞은 것을 고르세요.

4

- Where do you want to go, Jejudo ______ Busan?
- Do you like hot dogs ______ hamburgers?

① or ② and ③ but
④ that ⑤ after

5

- ______ I was sick, he cared for me.
- ______ is the opening day?

① After ② That ③ And
④ When ⑤ Because

6 다음 중 밑줄 친 부분을 생략할 수 있는 것을 고르세요.

① He said <u>that</u> he liked Jane.
② I was 12 <u>when</u> I lived in Seoul.
③ <u>Because</u> it was raining, we stayed inside.
④ <u>After</u> I had lunch, I walked my dog at the park.
⑤ The boys like baseball, soccer, <u>and</u> volleyball.

7~8 다음 밑줄 친 부분 중 틀린 것을 고르세요.

7

① The dog is big <u>but</u> cute.
② What do you like, milk <u>or</u> juice?
③ You <u>and</u> I take a walk every night.
④ He likes sports, books, <u>but</u> games.
⑤ <u>Before</u> I watched TV, I ate a snack.

8

① I hope <u>that</u> you enjoy your trip.
② Go the hospital <u>when</u> you are sick.
③ We can't believe <u>when</u> the story is fake.
④ I can't carry this bag <u>because</u> it is heavy.
⑤ <u>Because</u> the gloves are expensive, I can't buy them.

9 다음 빈칸에 들어갈 말이 나머지와 다른 것을 고르세요.

① I was cold _______ I woke up.
② I can't drink this tea _______ it is too hot.
③ They were singing _______ the teacher entered.
④ It was raining _______ we arrived at the bus stop.
⑤ _______ the door opened, we were surprised.

10 다음 두 문장이 같은 뜻이 되도록 빈칸에 알맞은 말을 쓰세요.

After they watched a movie, they went to the bookstore.
= _______ they went to the bookstore, they watched a movie.

11 다음 빈칸에 들어갈 말이 바르게 짝지어진 것을 고르세요.

- You must be careful _______ you touch this dog.
- She didn't remember _______ she put the book on the bed.

① after – that ② when – because
③ when – that ④ that – when
⑤ when – after

서술형

12 다음 문장에서 틀린 부분을 찾아 바르게 고쳐 다시 쓰세요.

We go to school bus or by subway.

→ _______________

13~14 다음 우리말과 같도록 알맞은 접속사를 이용하여 두 문장을 연결하세요.

13

I took a shower. + I went to the library.
나는 도서관에 가기 전에 샤워를 했다.

→ _______________

14

I like grapes. + I don't like bananas.
나는 포도는 좋아하지만, 바나나는 좋아하지 않는다.

→ _______________

15 다음 우리말과 같도록 주어진 말을 바르게 배열하여 문장을 완성하세요.

저희는 당신이 여기에 즐겁게 머무시길 바랍니다.

→ _______________

(that, you, here, enjoy, hope, we, your stay)

Unit 1~2

Grammar Map

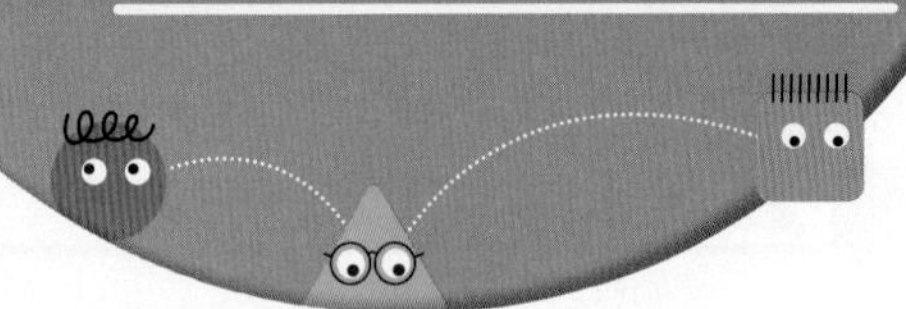

비교급과 최상급

	원급 ~ ~한(하게)	비교급 원급+-er+than …보다 더 ~한(하게)	최상급 (the)+원급+-est+in(of) … 중에서 가장 ~한(하게)
주의할 형태 변화	large	larger	largest
	easy	1 ______	easiest
	big	bigger	biggest
	beautiful	more beautiful	2 ______ beautiful
-ly로 끝나는 부사	slowly	more slowly	most slowly
불규칙 변화	good/well	3 ______	best
	bad/ill	worse	4 ______
	little	less	least
	many/much	more	most
	far	farther	farthest

접속사

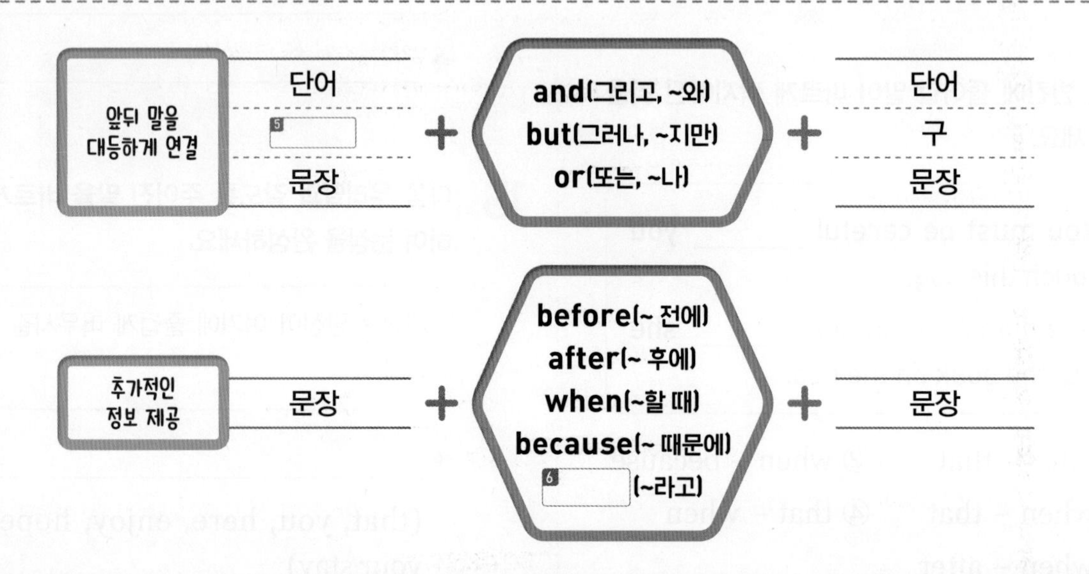

정답 | 1 easier 2 most 3 better 4 worst 5 구 6 that

Final Test

맞은 개수 / 20

정답 ● p. 4

1~2 다음 밑줄 친 부분 중 틀린 것을 고르세요.

1
① This hat is larger than that one.
② I knew that Tom didn't go out.
③ He is the youngest boy in the four.
④ My father is older than my mother.
⑤ Mt. Halla is the highest mountain in Korea.

2
① The cat is small but strong.
② We ate some bread, fruit, and juice.
③ Do you like SF movies or action movies?
④ Did you know what the cup was broken?
⑤ Because it was windy, we couldn't play outside.

3 다음 중 비교급과 최상급의 형태가 틀린 것을 고르세요.

① good – better – best
② bad – badder – baddest
③ short – shorter – shortest
④ funny – funnier – funniest
⑤ exciting – more exciting – most exciting

4 다음 우리말과 같도록 빈칸에 알맞은 말을 고르세요.

> Peter has ________ pets of the five.
> 피터가 다섯 중에 가장 많은 반려동물을 갖고 있다.

① many ② more ③ most
④ much ⑤ the most

서술형

5 다음 우리말과 같도록 주어진 말을 바르게 배열하세요.

> 그 남자 배우는 넷 중에서 가장 잘생겼다.

➜ ______________________________

(the actor, most, handsome, of, is, the, the four)

6~7 다음 중 빈칸에 들어갈 말이 바르게 짝지어진 것을 고르세요.

6

> • Ann walks ________ than Steve.
> • She went to the market ________ bought some vegetables.

① fast – that ② faster – after
③ fastest – and ④ faster – and
⑤ the fastest – but

Unit 1~2

Final Test

7

- It is ______ difficult question.
- I found ______ he left yesterday.

① more – and ② much – that
③ the most – that ④ most – because
⑤ the most – after

8 다음 빈칸에 공통으로 알맞은 것을 고르세요.

- She is the tallest girl ______ my class.
- This band is the most famous ______ Asia.

① in ② of ③ at
④ than ⑤ with

서술형
9 다음 주어진 말을 바르게 배열하여 문장을 완성하세요.

(most, in, important, the, thing, is)

➜ Happiness ____________________ our life.

서술형
10 다음 문장을 after를 이용하여 바꿔 쓰세요.

Before I sent a text message, I checked my schedule.
= ____________________

서술형
11 다음 우리말과 같도록 주어진 말과 최상급을 이용하여 문장을 완성하세요.

Which is ____________________?
(month, of the year, short)
어느 달이 일 년 중 가장 짧은 달이니?

12~13 다음 문장의 밑줄 친 부분을 바르게 고친 것을 고르세요.

12

I have <u>little</u> cheese than Semi.

① less ② least
③ much ④ more
⑤ the least

13

<u>That</u> fast food is not healthy, we don't eat it.

① After ② Before
③ What ④ And
⑤ Because

14 다음 우리말과 같도록 빈칸에 알맞은 말을 쓰세요.

______ I finished the exam, I went to a movie.
시험이 끝난 후에, 나는 영화를 보러 갔다.

15~16 다음 괄호 안에서 알맞은 말을 고르세요.

15

Jake turned the computer off (because / before) he went to bed.

16

We didn't know (that / because) it was dark outside.

서술형

17 다음 그림을 보고, 문장을 완성하세요.

Jane has ______________ Ann.

서술형

18 다음 문장에서 생략된 부분을 넣어 문장을 다시 쓰세요.

She believed they discovered a new world.

➜ ______________________

서술형 업그레이드 

19 다음 그림을 보고, 주어진 말을 이용하여 문장을 완성하세요.

- A rabbit moves (1) ______________ an iguana. (fast)
- A horse moves (2) ______________ of the three. (fast)
- An iguana moves (3) ______________ ________. (slowly)

20 다음 일과표를 보고, 주어진 말을 이용하여 나의 일상에 대한 문장을 완성하세요.

- 2 p.m.: did my homework
- 3 p.m.: had some snacks
- 4 p.m.: practiced taekwondo
- 5 p.m.: went to the dentist

(1) ______________________, I had some snacks. (after)

(2) ______________________, I practiced taekwondo. (before)

Unit 3 to부정사

개념 미리 보기

- to부정사는 〈to + 동사원형〉 형태로 된 말을 가리켜요.
- 'to'는 동사(~하다)를 다른 품사(명사, 형용사, 부사)처럼 쓸 수 있도록 만들어 줘요.

펼쳐 보기

~하기, ~하는 것 (명사적 용법)

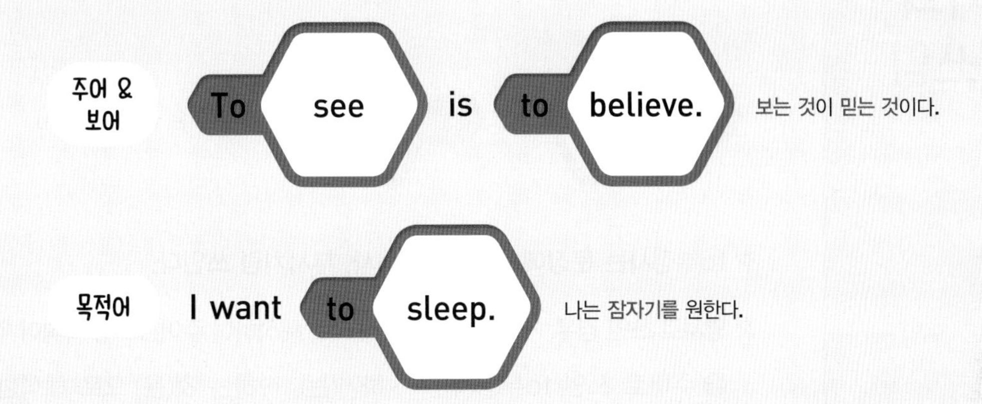

~하기 위해, ~해서 (부사적 용법)

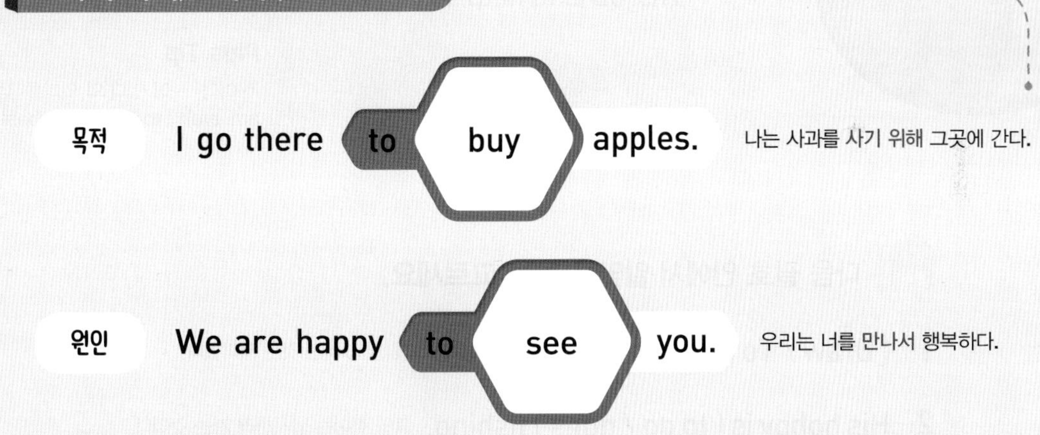

~하는, ~할 (형용사적 용법)

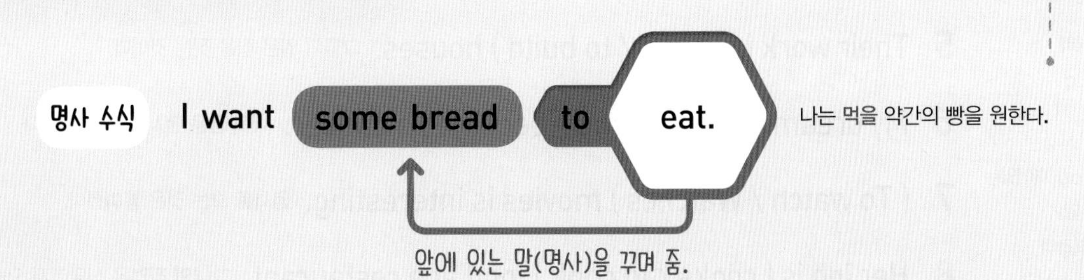

09 to부정사의 형태와 쓰임

*동사원형: 끝에 -s나 -es가 붙지 않은 동사의 원래 모습

to부정사는 〈to + 동사원형〉의 형태로 쓴다.

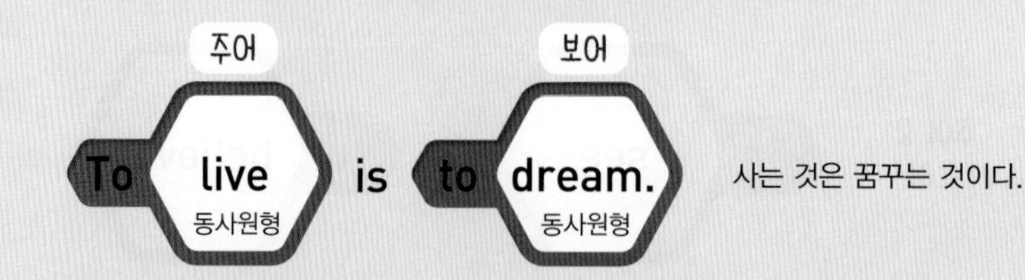

사는 것은 꿈꾸는 것이다.

▶ **to부정사는 문장에서 명사, 형용사, 부사처럼 쓰인다.**

▶ **명사로 쓰인 경우, '~하기, ~하는 것'으로 해석하며 주어, 보어, 목적어 역할을 한다.**

❶ 주어로 쓰인 to부정사는 '~하기(는), ~하는 것(은)'으로 해석한다.
To make a cake is fun. 케이크 만들기는 재미있다.

❷ 보어로 쓰인 to부정사는 '~하기(이다), ~하는 것(이다)'로 해석한다.
His job is to help sick people. 그의 직업은 아픈 사람들을 돕는 것이다.

Plus Tip
'~이다, ~이 있다'의 의미를 갖는 be동사(is, am, are)의 to부정사는 to be로 쓴다.

고르기

A 다음 괄호 안에서 알맞은 말을 고르세요.

1 (Draw / To draw) a picture is fun. 그림을 그리는 것은 재미있다.

2 His hobby is (to go / goes) fishing. 그의 취미는 낚시하러 가는 것이다.

3 (Ride / To ride) a bike is exciting. 자전거를 타는 것은 신난다.

4 His plan is (learns / to learn) English. 그의 계획은 영어를 배우는 것이다.

5 Their work is (build / to build) houses. 그들의 일은 집을 짓는 것이다.

6 My dream is (to become / become) a dancer. 나의 꿈은 댄서가 되는 것이다.

7 (To watch / Watches) movies is interesting. 영화를 보는 것은 흥미롭다.

8 Her job is (cooks / to cook) food at a restaurant. 그녀의 직업은 식당에서 요리하는 것이다.

hobby 취미
go fishing 낚시하러 가다
exciting 신나는
interesting 재미있는
job 직업, 일
cook 요리하다
restaurant 식당

빈칸 채우기

B 다음 주어진 말과 to를 이용하여 빈칸에 알맞은 말을 쓰세요.

1 My hope is ________ to Italy. (go) 나의 소망은 이탈리아에 가는 것이다.

2 Her hobby is ________ books. (read) 그녀의 취미는 책을 읽는 것이다.

3 ________ new people is fun. (meet) 새로운 사람들을 만나는 것은 재미있다.

4 His goal is ________ a robot. (make) 그의 목표는 로봇을 만드는 것이다.

5 ________ the piano is interesting. (play) 피아노를 연주하는 것은 재미있다.

fun 재미있는
goal 목표

그림 보고 고르기

C 다음 그림을 보고, 괄호 안에서 알맞은 말을 고르세요.

1

A What is her job?
B Her job is (to cut / to make) hair.

2

A What is their hobby?
B (To swim / To run) in the park is their hobby.

3

A What is his dream?
B His dream is (to become / to learn) a teacher.

4

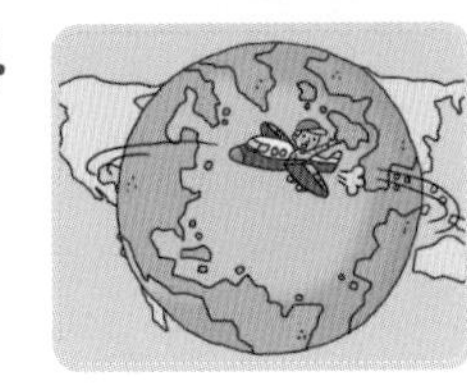

A What is your plan?
B (To walk / To travel) around the world is my plan.

cut 자르다
travel around the world 세계 곳곳을 여행하다

Practice Book p. 38 Go!

10 목적어로 쓰이는 to부정사

Tom wants to play outside.

톰은 밖에서 놀기를 원한다.

▶ 목적어로 쓰인 to부정사는 '~하기(를), ~하는 것(을)'로 해석한다.

▶ to부정사를 목적어로 갖는 동사에는 want, hope, need, plan, learn 등이 있다.

I want to learn English. 나는 영어를 배우기를 원한다.

He hopes to be a singer. 그는 가수가 되기를 소망한다.

She learns to dance. 그녀는 춤추는 것을 배운다.

Plus Tip
to부정사가 문장에서 주어, 보어, 목적어 역할을 하는 것을 '명사적 용법'이라고 한다.

동그라미 하고, 연결하기

A 다음 문장의 to부정사에 동그라미 하고, to부정사의 쓰임에 연결하세요.

1 He wants to be a singer. •
그는 가수가 되기를 원한다.

2 To plant trees is not easy. •
나무를 심는 것은 쉽지 않다.

3 I need to clean the room. •
나는 방을 청소할 필요가 있다.

4 They plan to go there. •
그들은 그곳에 갈 계획이다.

5 Her wish is to meet them. •
그녀의 바람은 그들을 만나는 것이다.

• 주어

• 목적어

• 보어

plant 심다
easy 쉬운
need 필요가 있다
plan 계획하다
wish 바람, 소망

정답 ● p. 5

빈칸 채워 대화 완성하기

B 다음 빈칸에 알맞은 말을 골라 대화를 완성하세요.

to eat | to study | to visit | to see

1 A What do you want for dinner? 너는 저녁 식사로 무엇을 원하니?
B I want __________ pizza. 나는 피자를 먹기를 원해.

2 A What is your plan for this summer? 이번 여름에 너의 계획은 무엇이니?
B I plan __________ my grandmother. 나는 할머니를 방문할 계획이야.

3 A I hope to be a doctor. 나는 의사가 되고 싶어.
B Then, you need __________ hard. 그러면 너는 공부를 열심히 할 필요가 있어.

4 A Do you plan to go to the museum? 너는 박물관에 갈 계획이니?
B Yes. I want __________ great pictures there.
응. 나는 그곳에서 훌륭한 그림들을 보기를 원해.

visit 방문하다
dinner 저녁 식사
museum 박물관, 미술관

그림 보고 빈칸 채우기

C 다음 그림을 보고, (A), (B)에서 알맞은 말을 하나씩 골라 문장을 완성하세요.

(A) to play	to study	to swim	to watch
(B) TV	science	in the river	the violin

1 I want ____________________.

2 She learns ____________________.

3 He hopes ____________________.

4 Do they want ____________________?

swim 수영하다
science 과학
river 강

Practice Book p. 42 Go!

11 부사적 용법의 to부정사

목적		
I	come here	to see (동사원형) a movie.

나는 영화를 보기 위해 여기에 온다.

원인		
They	are glad	to meet (동사원형) Sally.

그들은 샐리를 만나서 기쁘다.

▶ **부사로 쓰인 to부정사는 목적, 원인 등을 나타낸다.**

❶ 목적을 나타내는 to부정사는 '~하기 위해'로 해석한다.

I study hard to pass the test. 나는 시험에 합격하기 위해 열심히 공부한다.

❷ 원인을 나타내는 to부정사는 '~해서, ~하게 되어'로 해석한다.

He is sad to hear the news. 그는 그 소식을 들어서 슬프다.

Plus Tip
to부정사가 원인을 나타낼 때는 앞에 happy, glad, sad 등 감정의 형용사가 주로 쓰인다.

연결하기

A 다음 그림을 보고, 알맞게 연결하세요.

1  I go to the station • • to buy some fruit.

2  He goes to the library • • to take the train.

3  We go to the playground • • to play soccer.

4   She goes to the market • • to check out books.

station (기차) 역
library 도서관
take the train 기차를 타다
playground 운동장
market 시장
check out (책을) 대출하다

정답 • p. 5

고쳐 쓰기

B 다음 밑줄 친 부분을 바르게 고쳐 쓰세요.

1 Jake is glad meet his old friends. → ________
제이크는 그의 옛 친구들을 만나 기쁘다.

2 We feel sad watch the movie. → ________
우리는 그 영화를 봐서 슬프다.

3 I go to the airport take an airplane. → ________
나는 비행기를 타기 위해 공항에 간다.

4 She went to the store buy a warmer jacket. → ________
그녀는 더 따뜻한 재킷을 사기 위해 상점에 갔다.

5 The children are excited go to the amusement park. → ________
아이들은 놀이공원에 가서 신이 나 있다.

airport 공항
airplane 비행기
amusement park 놀이공원

빈칸 채워 대화 완성하기

다음 빈칸에 알맞은 말을 골라 대화를 완성하세요.

to buy　to check　to watch　to miss　to have

1 A Why are you so sad?
B I am sad ________ a sad movie.

2 A Why do you go to the cafeteria?
B I go there ________ lunch.

3 A Why are you so angry?
B I am angry ________ the bus.

4 A Why do you go to the market?
B I go to the market ________ eggs.

5 A Why do you turn on the computer?
B I turn on the computer ________ e-mail. Aha!

check 확인하다
miss 놓치다
cafeteria 구내식당
angry 화난
turn on ~을 켜다

Aha!

e-mail은 무엇의 줄임말인지 아니?

응, e-mail은 electronic(전자의)과 mail(우편)이 합쳐진 말로, 명사(전자 우편)와 동사(전자 우편을 보내다) 두 가지로 쓰여. e-mail, email 모두 쓸 수 있어.

Practice Book p. 46 Go!

12 형용사적 용법의 to부정사

앞에 있는 말(명사)을 꾸며 줌.

We need some water to drink.
동사원형

우리는 마실 물이 좀 필요하다.

▶ to부정사는 앞에 있는 명사나 대명사를 수식하는 형용사로 쓰인다.

▶ 형용사적 용법의 to부정사는 '~하는, ~할'로 해석한다.

I have many books to read. 나는 읽을 책이 많이 있다. (명사 수식)

He wants something to eat. 그는 먹을 무언가를 원한다. (대명사 수식)

Plus Tip

형용사는 사물의 성질이나 상태를 나타내는 말로, 명사나 대명사를 수식한다.

- **cold** water 시원한 물
- **big** boxes 커다란 상자들
- something **new** 새로운 것

어구 완성하기

A 다음 우리말과 같도록 주어진 말을 이용하여 어구를 완성하세요.

1 할 숙제 (do, homework) → ______________

2 신을 신발 (wear, shoes) → ______________

3 먹을 케이크 (eat, a cake) → ______________

4 들을 음악 (listen to, music) → ______________

5 마실 우유 (drink, milk) → ______________

6 청소할 유리창 (clean, a window) → ______________

7 수리할 컴퓨터 (fix, a computer) → ______________

8 마실 무언가 (drink, something) → ______________

wear 입다
listen to ~을 듣다
fix 고치다

정답 ● p. 5

고르기

B 다음 괄호 안에서 알맞은 말을 고르세요.

1 I have (write a letter / a letter to write).
나는 써야 할 편지가 있다.

2 They need (some bread to eat / eat some bread).
그들은 먹을 약간의 빵이 필요하다.

3 He wants (wear a shirt / a shirt to wear) tomorrow.
그는 내일 입을 셔츠를 원한다.

4 This is (to watch the movie / the movie to watch) tonight.
이것은 오늘 밤에 볼 영화이다.

shirt 셔츠
tonight 오늘 밤에

그림 보고 대화 완성하기

다음 그림을 보고, (A)와 (B)에서 알맞은 말을 하나씩 골라 대화를 완성하세요.

(A) to cook	to wash	to read	to drive
(B) the books	the car	the dishes	the meat

1 

A What is this?
B This is __________________.

2 

A What is this?
B This is __________________ for dinner.

3 

A What are these?
B These are __________________.

4 

A What are these?
B These are __________________ now.

drive 운전하다
dish 접시
meat 고기

Practice Book p. 50 Go!

Unit 3

Wrap-up Test

1~2 다음 밑줄 친 부분 중 틀린 것을 고르세요.

1
① My plan is to go to Paris.
② His job is to paint the walls.
③ Learn English is difficult.
④ To walk is good for your health.
⑤ To help other people is good.

2
① My work is to drive a bus.
② To play chess is interesting.
③ His goal is to makes a spaceship.
④ Her dream is to write poems.
⑤ Is their job to fix cars?

3 다음 빈칸에 들어갈 play의 형태가 나머지와 다른 것을 고르세요.

① I want ______ tennis with them.
② He doesn't ______ soccer today.
③ They learn ______ the guitar.
④ She hopes ______ baseball on the team.
⑤ We plan ______ the violin this morning.

4 다음 우리말과 같도록 빈칸에 알맞은 것을 고르세요.

> She goes to the airport ______ her cousins.
> 그녀는 사촌들을 만나기 위해 공항에 간다.

① meet ② meets ③ to meet
④ to meets ⑤ to meeting

5~6 다음 빈칸에 알맞은 말이 바르게 짝지어진 것을 고르세요.

5

> • ______ action movies is exciting.
> • Is your sister's hobby ______ online games?

① Watch – play
② Watches – play
③ Watch – to play
④ To watch – plays
⑤ To watch – to play

6

> A Where does he plan ______?
> B He plans ______ to Canada.

① go – go ② to go – go
③ to go – to go ④ goes – to go
⑤ to go – to goes

7~8 다음 괄호 안에서 알맞은 말을 고르세요.

7

> Every winter, Jack goes to the lake (skates / to skate).

8

> Amy has a lot of homework (does / to do) this week. She also has some books (reads / to read).

9 다음 중 틀린 문장을 고르세요.

① They have two cups wash.
② Mike needs a bike to ride.
③ I have three letters to read.
④ Does he want juice to drink?
⑤ They buy some bananas to eat.

10 다음 중 밑줄 친 to부정사의 쓰임이 나머지와 다른 것을 고르세요.

① She is angry to fight with him.
② He is very excited to meet them.
③ They are kind to help the old lady.
④ I go to the hospital to see a doctor.
⑤ We are happy to come back home.

11 다음 빈칸에 알맞은 말이 바르게 짝지어진 것을 고르세요.

The girl hopes ________ a pianist, so she learns ________ the piano.

① to go – to play
② to work – to go
③ to meet – to buy
④ to play – to work
⑤ to become – to play

서술형

12 다음 우리말과 같도록 대화를 완성하세요.

A What do you want ________ this weekend?
너는 이번 주말에 무엇을 하기를 원하니?
B I want ________ a movie with my friends.
나는 친구들과 영화를 보기를 원해.

13 다음 주어진 말을 바르게 배열하여 문장을 완성하세요.

(go, snacks, to buy, we, to the supermarket).

→ ________________________

14~15 다음 우리말과 같도록 주어진 말을 이용하여 문장을 완성하세요.

14

그녀의 꿈은 디자이너가 되는 것이다.

→ ________________________
(dream, become, a designer, to)

15

그들은 오늘 해야 할 일이 많이 있다.

→ ________________________
(have, a lot of, work, do)

Unit

4 동명사

개념 미리 보기

- 동명사는 〈동사원형+-ing〉 형태로 된 말을 가리켜요.
- 뒤에 붙은 '-ing'는 동사를 명사로 바꿔 주는 역할을 하고, '~하다'가 아니라 '~하기, ~하는 것'으로 해석해요.

펼쳐 보기

○ 문장에서 명사처럼 쓰여, 주어, 보어, 목적어 역할을 하는 동명사

~하기(는), ~하는 것(은)

주어 | Cook ing is his job. 요리하는 것은 그의 직업이다.

~하기(이다), ~하는 것(이다)

보어 | My hobby is fish ing. 나의 취미는 낚시하는 것이다.

~하기(를), ~하는 것(을)

목적어 | They enjoy read ing books. 그들은 책 읽는 것을 즐긴다.

We love see ing the movie. 우리는 영화 보는 것을 매우 좋아한다.

동사 **love**는 **to**부정사도 목적어로 쓸 수 있어.

그러면, **We love to see the movie.**로도 쓸 수 있다는 거지?

응, 맞아. 동사에 따라 동명사, **to**부정사 중 목적어로 무엇을 쓰는지가 달라지고 둘 다 쓸 수 있는 동사들도 있어.

13 동명사의 형태와 쓰임

*동사원형: 끝에 -s나 -es가 붙지 않은 동사의 원래 모습

동명사는 〈동사원형 + -ing〉의 형태로 쓴다.

주어 보어

See ing is believe ing. 보는 것이 믿는 것이다.

동사원형

▶ 동명사는 '~하기, ~하는 것'이라는 의미이다.

▶ 동명사는 명사처럼 문장에서 주어, 보어, 목적어로 쓰인다.

❶ 주어로 쓰인 동명사는 '~하기(는), ~하는 것(은)'으로 해석한다.

Climbing trees is dangerous. 나무를 오르는 것은 위험하다.

❷ 보어로 쓰인 동명사는 '~하기(이다), ~하는 것(이다)'로 해석한다.

His hobby is reading webtoons. 그의 취미는 웹툰을 읽는 것이다.

Plus Tip

believe와 같이 -e로 끝나는 동사를 동명사로 만들 때는 e를 빼고 -ing를 붙인다.

• make → making • take → taking

고르기

A 다음 괄호 안에서 알맞은 말을 고르세요.

1 (Go / Going) to the zoo is exciting. 동물원에 가는 것은 신난다.

2 Her job is (design / designing) clothes. 그녀의 직업은 옷을 디자인하는 것이다.

3 My plan is (study / studying) English. 나의 계획은 영어를 공부하는 것이다.

4 (Watches / Watching) YouTube videos is interesting. 유튜브 동영상을 보는 것은 재미있다.

5 Our dream is (meet / meeting) the singer. 우리의 꿈은 그 가수를 만나는 것이다.

6 (Paint / Painting) the wall is not easy. 벽에 페인트를 칠하는 것은 쉽지 않다.

7 Their hobby is (goes / going) camping. 그들의 취미는 캠핑을 가는 것이다.

8 (Cleaning / Cleans) the windows is their work. 창문을 청소하는 것은 그들의 일이다.

zoo 동물원
design 디자인하다
clothes 옷
wall 벽
easy 쉬운
go camping 캠핑 가다
work 일

정답 ● p. 6

빈칸 채우기

B 다음 빈칸에 알맞은 말을 골라 문장을 완성하세요.

going　drinking　reading　becoming　collecting

1 ________ the book is boring. 그 책을 읽는 것은 지루하다.

2 His hope is ________ to space. 그의 소망은 우주에 가는 것이다.

3 My hobby is ________ dolls. 나의 취미는 인형을 모으는 것이다.

4 ________ tea is good for health. 차를 마시는 것은 건강에 좋다.

5 His goal is ________ a great scientist. 그의 목표는 훌륭한 과학자가 되는 것이다.

collect 모으다
boring 지루한
space 우주
doll 인형
health 건강
goal 목표
scientist 과학자

그림 보고 고르기

C 다음 그림을 보고, 괄호 안에서 알맞은 말을 고르세요.

1 

A What is his work?
B His work is (riding / fixing) cars.

2 

A What is her hobby?
B Her hobby is (running / riding) a bicycle.

3 

A What is their job?
B Their job is (making / buying) robots.

4 

A What is your dream?
B My dream is (becoming / meeting) a singer.

fix 고치다
ride 타다

Practice Book p. 56 Go!

14 목적어로 쓰인 동명사

We finished 

우리는 일하기를 끝마쳤다.

▶ 목적어로 쓰인 동명사는 '~하기(를), ~하는 것(을)'로 해석한다.

We enjoy playing online games. 우리는 온라인 게임하는 것을 즐긴다.

The man keeps walking. 그 남자는 계속 걷는다.

▶ 주어, 보어, 목적어로 쓰이는 동명사는 to부정사와 쓰임이 비슷하다.

Learning English is interesting. 영어를 배우는 것은 재미있다.

= To learn English is interesting.

동그라미 하고, 연결하기

A 다음 문장의 동명사에 동그라미 하고, 동명사의 쓰임에 연결하세요.

1 I enjoy eating popcorn. •
나는 팝콘 먹는 것을 즐긴다.

2 Speaking English is hard. •
영어를 말하는 것은 어렵다.

3 Watching movies was fun. •
영화를 보는 것은 재미있었다.

4 Their goal is building a bridge. •
그들의 목표는 다리를 짓는 것이다.

5 His wish is becoming a chef. •
그의 소망은 요리사가 되는 것이다.

6 Cindy kept taking pictures. •
신디는 계속 사진을 찍었다.

• 주어

• 보어

• 목적어

build 짓다
bridge 다리
chef 요리사
keep 계속 ~하다
take a picture 사진을 찍다

정답 ● p. 6

빈칸 채워 대화 완성하기

B 다음 빈칸에 알맞은 말을 골라 대화를 완성하세요.

eating　　painting　　building　　finishing

1 A What is Jim's plan for today? 오늘 짐의 계획은 무엇이니?
　B ________ his homework is his plan. 숙제를 끝내는 것이 그의 계획이야.

2 A What's your favorite food? 네가 가장 좋아하는 음식은 무엇이니?
　B I enjoy ________ spaghetti most. 나는 스파게티 먹는 것을 가장 즐겨.

3 A What is their goal this year? 올해 그들의 목표는 무엇이니?
　B ________ their house is their goal. 그들의 집을 짓는 것이 그들의 목표야.

4 A What did you do on the weekend? 너희는 주말에 무엇을 했니?
　B We finished ________ the roof. 우리는 지붕 페인트칠하기를 끝마쳤어.

favorite 가장 좋아하는
weekend 주말

그림 보고 빈칸 채우기

C 다음 (A), (B)에서 알맞은 말을 하나씩 골라 그림에 대한 문장을 완성하세요.

(A) making	drawing	becoming	listening to
(B) music	a rocket	a superhero	pictures

1 I always enjoy ________________.

2 The boy likes ________________.

3 Their plan is ________________.

4 

________________ is his dream.

rocket 로켓
superhero 슈퍼히어로

Practice Book p. 60 Go!

15 동명사/to부정사를 목적어로 갖는 동사

그녀는 노래하는 것을 즐긴다.

▶ **동명사 또는 to부정사 중 하나만을 목적어로 갖거나, 둘 다를 목적어로 갖는 동사들이 있다.**

❶ 동명사만을 목적어로 갖는 동사: enjoy, finish, keep, practice, give up 등
Cindy keeps playing the piano. 신디는 피아노를 계속 연주한다.

❷ to부정사만을 목적어로 갖는 동사: want, hope, need, plan, learn 등
We want to paint the front door. 우리는 현관문을 칠하기를 원한다.

❸ 동명사 & to부정사 모두 목적어로 갖는 동사: like, love, hate, start, begin 등
The children like running. 그 아이들은 달리기를 좋아한다.
= The children like to run.

고르기

A 다음 괄호 안에서 알맞은 말을 모두 고르세요.

1 I finished (to write / writing) a letter. 나는 편지 쓰기를 끝마쳤다.

2 They learn (speaking / to speak) Korean. 그들은 한국어 말하기를 배운다.

3 Do you like (seeing / to see) the movie? 너는 그 영화 보는 것을 좋아하니?

4 The man keeps (walking / to walk) to the park. 그 남자는 공원을 향해 계속 걷는다.

5 She needs (to go / going) to the supermarket. 그녀는 슈퍼마켓에 갈 필요가 있다.

6 We practiced (playing / to play) baseball in the playground.
우리는 운동장에서 야구하는 것을 연습했다.

Korean 한국어
practice 연습하다

정답 ● p. 6

빈칸 채우기 1

B 다음 우리말과 같도록 주어진 말을 알맞은 형태로 쓰세요.

1 They begin __________ in the office at 9 o'clock. (work)
그들은 9시에 사무실에서 **일하기** 시작한다.

2 They plan __________ their grandparents. (visit)
그들은 그들의 조부모님을 **방문할** 계획이다.

3 The boy finished __________ 100 m. (run)
그 소년은 100미터 **달리는 것을** 끝냈다.

4 Some people enjoy __________ at home. (cook)
어떤 사람들은 집에서 **요리하는 것을** 즐긴다.

office 사무실
grandparents 조부모님
taekwondo 태권도

5 My little brother wants __________ taekwondo. (learn)
나의 남동생은 태권도를 **배우기** 원한다.

빈칸 채우기 2

C 다음 빈칸에 알맞은 말을 골라 알맞은 형태로 고쳐 쓰세요.

do have watch meet go

1 You need __________ breakfast every day.
너는 매일 아침을 먹을 필요가 있다.

2 The girls love __________ stars in the sky.
그 소녀들은 하늘에서 별을 보는 것을 매우 좋아한다.

3 My brother finished __________ his homework.
내 남동생은 숙제하는 것을 끝마쳤다.

4 The people gave up __________ camping.
그 사람들은 캠핑 가는 것을 포기했다.

breakfast 아침 식사
star 별

5 I hope __________ you at the party!
나는 너를 파티에서 만나기를 바라!

Practice Book p. 64 Go!

Wrap-up Test

1~2 다음 밑줄 친 부분 중 틀린 것을 고르세요.

1
① Using the tablet is easy.
② Fixing bicycles is their job.
③ Listen to pop songs is great.
④ Studying English is important.
⑤ Playing computer games is fun.

2
① His work is washing dishes.
② My plan is meets my friends.
③ Her job is teaching students.
④ Their hobby is taking a walk.
⑤ Her dream is going to France.

3 다음 중 밑줄 친 동명사의 쓰임이 나머지와 다른 것을 고르세요.

① Their work is baking bread.
② My hope is visiting my uncle.
③ Her dream is becoming a doctor.
④ They like playing with their dogs.
⑤ Dad's job is treating sick animals.

4 다음 빈칸에 들어갈 go의 형태가 나머지와 다른 것을 고르세요.

① He plans ______ to the beach.
② We need ______ to the library.
③ She wants ______ to the bank.
④ I hope ______ to the mountain.
⑤ They enjoy ______ to the movies.

5~6 다음 빈칸에 알맞은 것을 고르세요.

5

______ fishing on the lake is exciting.

① Go ② Went ③ Going
④ Goes ⑤ To going

6

She finished ______ her science homework.

① do ② does ③ to do
④ doing ⑤ to doing

7 다음 밑줄 친 동사의 형태로 바르게 짝지어진 것을 고르세요.

- She keeps send text messages.
- He gave up climb the mountain.

① send – climb
② to send – to climb
③ sending – climbs
④ to send – climbing
⑤ sending – climbing

8 다음 중 틀린 문장을 고르세요.

① She finishes to work with him.
② He practices playing the drums.
③ We need to drink some water.
④ They gave up playing the game.
⑤ Mike dosen't like running.

9 다음 그림을 보고, 빈칸에 알맞은 말을 고르세요.

Jack's brother likes ______________ in the field.

① to take a photo
② playing football
③ meeting friends
④ to paint a house
⑤ drawing pictures

10~11 다음 괄호 안에서 알맞은 말을 고르세요.

10

I hope (winning / to win) the tennis match. I keep (practicing / to practice) every day.

11

(Watch / Watching) movies is Mike's hobby. He plans (going / to go) to a theater this weekend.

서술형

12 다음 우리말과 같도록 대화를 완성하세요.

A Do you like ______________ to amusement parks?
너는 놀이공원에 가는 것을 좋아하니?

B Yes. I love ______________ roller coasters very much.
응, 나는 롤러코스터 타는 것을 아주 좋아해.

13~14 다음 주어진 말을 바르게 배열하여 문장을 완성하세요.

13

(is, washing, with soap, your hands, important).

➜ ______________________________

14

(playing, the girl, very much, enjoys, the violin).

➜ ______________________________

15 다음 우리말과 같도록 주어진 말을 이용하여 문장을 완성하세요.

우리는 영어로 말하기와 쓰기를 연습한다.

➜ ______________________________

(practice, speak, write, in English)

Unit 3~4

Grammar Map

to부정사

동사를 명사, 부사, 형용사로 바꿔 준다.

to + [1] = to 부정사

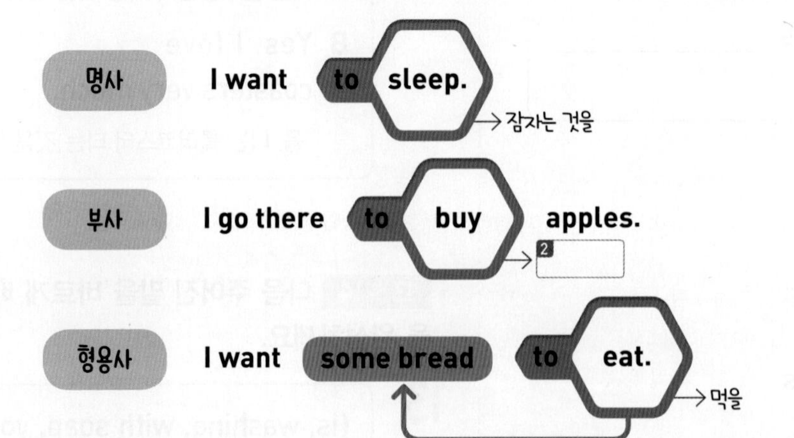

동명사

동사를 명사로 바꿔 준다.

동사원형 + [3] = 동명사

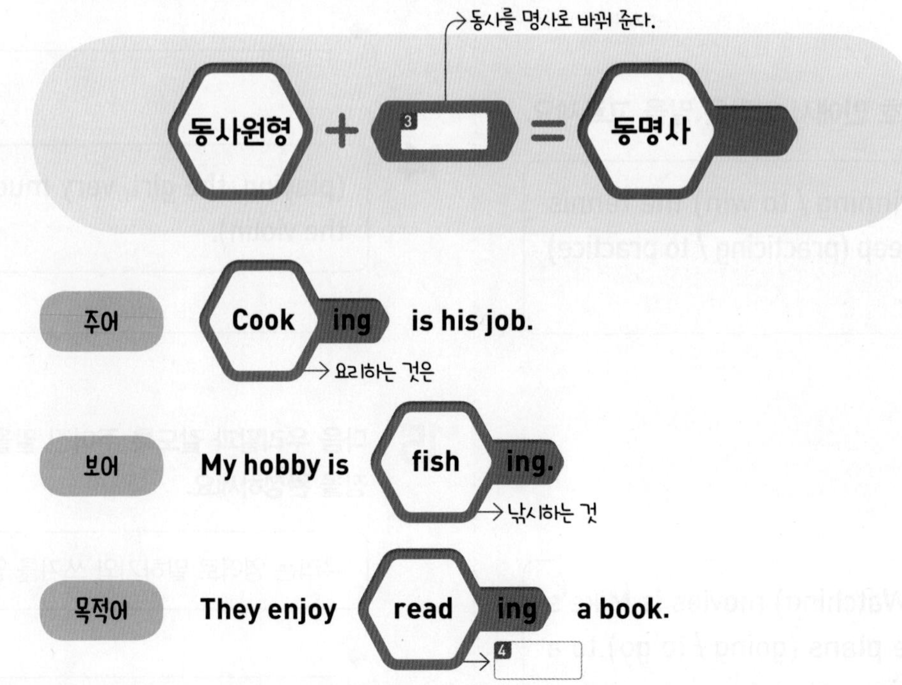

정답 | 1 동사원형 2 사기 위해 3 -ing 4 읽는 것을

Unit 3~4 Final Test

맞은 개수 /20

정답 • p. 7

1~2 다음 밑줄 친 부분 중 틀린 것을 고르세요.

1
① My goal is pass the exam.
② Their work is to cook food.
③ Playing baseball is interesting.
④ The woman's job is selling fruit.
⑤ Is your dream to fly in the sky?

2
① We enjoy drawing cartoons.
② She hates to clean the house.
③ They learned to write in English.
④ My mom starts talking on the phone.
⑤ What do you want being in the future?

3 다음 빈칸에 들어갈 make의 형태가 나머지와 다른 것을 고르세요.

① I want _______ a delicious cake.
② We gave up _______ a sandcastle.
③ They need _______ tea for the guests.
④ She hopes _______ a dress for her daughter.
⑤ He plans _______ a chair with the wood.

4~5 다음 빈칸에 들어갈 말이 바르게 짝지어 진 것을 고르세요.

4

- Jack needs _______ the book.
- Anna wants _______ to the concert.

① read – going
② reading – goes
③ reading – to go
④ to read – going
⑤ to read – to go

5

- _______ pictures is fun.
- We planned _______ the museum.

① Take – visit
② Take – to visit
③ Taking – visiting
④ To take – visiting
⑤ To take – to visit

서술형

6 다음 주어진 말을 알맞은 형태로 고쳐 쓰세요.

- _______ football is interesting. (play)
- The player hopes _______ on the team. (play)

➜ __________
➜ __________

Unit 3~4

Final Test

7~8 다음 빈칸에 알맞은 말을 모두 고르세요.

7

My hobby is ________ for my family.

① cooks ② cooking ③ cooked
④ to cook ⑤ to cooking

8

He really likes ________ badminton.

① play ② plays ③ to play
④ playing ⑤ to playing

9 다음 중 틀린 문장을 고르세요.

① They want two apples to eat.
② He needs a warm coat to wear.
③ We have math homework finish.
④ Do you need something to drink?
⑤ I have some pictures to show you.

10 다음 우리말을 영어로 바르게 쓴 것을 고르세요.

그는 도서관에 갈 계획이다.

① He plans goes to the library.
② He plans to go to the library.
③ He plans going to the library.
④ He plans and go to the library.
⑤ He plans to going to the library.

11~12 다음 괄호 안에서 알맞은 말을 고르세요.

11

A What do you need?
B I need (eating something / something to eat).

12

A I'm back. I missed you all.
B We really wanted (seeing / to see) you, Jenny!

13~14 다음 주어진 말을 바르게 배열하여 문장을 완성하세요.

서술형
13

(is, tonight, this, to watch, the movie).

➔ ________________________________

서술형
14

(online games, enjoy, he, playing, doesn't).

➔ ________________________________

15~16 다음 그림을 보고, 빈칸에 알맞은 말을 쓰세요.

15

Ann practices __________ with her dad.

16

We learn __________ in the pool.

17~18 다음 우리말과 같도록 주어진 말을 이용하여 문장을 완성하세요.

서술형
17

그녀의 꿈은 디자이너가 되는 것이다.

➜ ______________________________

(dream, become, a designer)

서술형
18

그들은 오늘 해야 할 일이 많이 있다.

➜ ______________________________

(have, do, work, a lot of)

서술형 업그레이드

19 다음 대화의 밑줄 친 부분을 바르게 고쳐 쓰세요.

A What do you want (1) do in the future?
B I hope (2) become a writer.
A A writer?
B Yes. I enjoy (3) read books very much. And I practice (4) write every day.

(1) do ➜ __________
(2) become ➜ __________
(3) read ➜ __________
(4) write ➜ __________

20 다음 <보기>에서 알맞은 말을 골라 바르게 고쳐 쓰세요.

보기
find look play train listen

(1) John likes __________ the violin. He enjoys __________ to classical music, too.

(2) Kathy loves __________ her dog. Kathy hides his dolls, and he starts __________ for them. This way, he learns __________ things.

Unit 5

여러 가지 동사

개념 미리 보기

- 영어에서는 어떤 동사가 쓰였는지에 따라 뒤에 오는 요소(말의 종류)가 달라져요.
- 뒤에 오는 요소에 따라 만들어진 다양한 형태의 문장들은 '문장의 형식'으로 구분해요.

펼쳐 보기

2형식 감각동사

4형식 수여동사

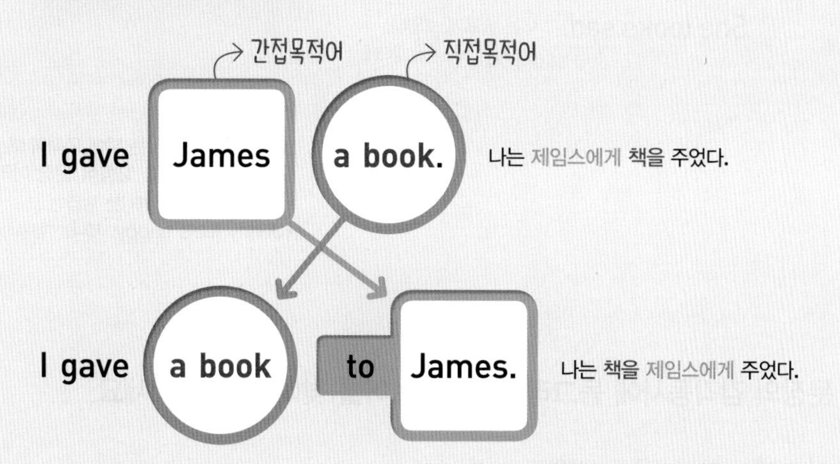

5형식 동사

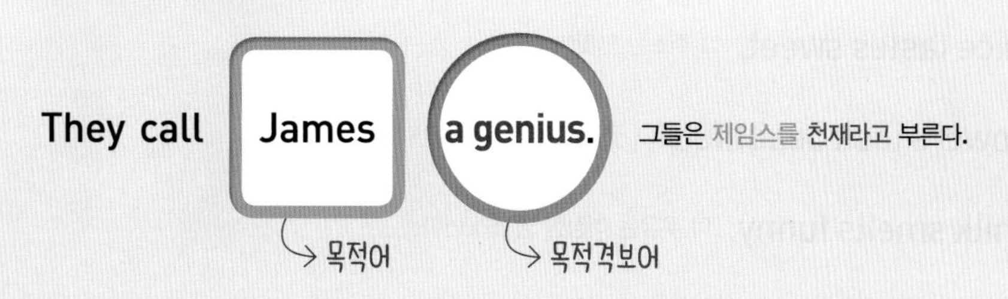

16 2형식 감각동사

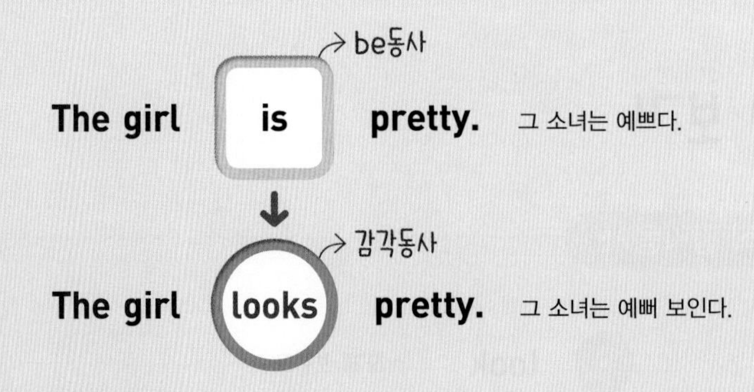

▶ **be동사 대신 감각을 나타내는 동사를 이용하여 5가지 감각을 표현할 수 있다.**

▶ **대표적인 감각동사: feel(~한 느낌이 들다), look(~처럼 보이다), smell(~한 냄새가 나다), sound(~하게 들리다), taste(~한 맛이 나다)**

The girl looks happy. 그 소녀는 행복해 보인다.
His voice sounds sweet. 그의 목소리는 달콤하게 들린다.
The bread smells good. 그 빵은 좋은 냄새가 난다.
The soup tastes bad. 그 수프는 맛이 없다.

▶ **감각동사 뒤에 오는 말은 '~하게'로 부사처럼 해석되지만, 형용사(~한)를 써야 한다.**

She looks sad. 그녀는 슬프게 보인다.
sadly (x) / 슬픈 상태로

Plus Tip
be동사와 감각동사는 뒤에 목적어 대신 '보어'가 오며, 이런 문장을 '2형식 문장'이라고 한다.
- Jenny is cute. 제니는 귀엽다.
- Jenny feels happy. 제니는 행복하게 느낀다.

동그라미 하고, 밑줄 치기

A 다음 문장의 감각동사에 동그라미 하고, 보어를 찾아 밑줄을 치세요.

1 Sam looks sleepy. 샘은 졸려 보인다.

2 The doll feels soft. 그 인형은 부드럽게 느껴진다.

3 The song sounds great. 그 노래는 멋지게 들린다.

4 The juice tastes sweet. 그 주스는 단맛이 난다.

5 The flowers look beautiful. 그 꽃들은 아름답게 보인다.

6 This milk smells funny. 이 우유는 이상한 냄새가 난다.

soft 부드러운
great 멋진
sweet 달콤한
funny 이상한, 수상한

정답 • p. 8

바꿔 쓰기

B 다음 문장의 밑줄 친 부분을 대신할 수 있는 말을 골라 문장을 완성하세요.

look	smell	taste	sound	feel

1 The story is boring. → The story ________ boring.
그 이야기는 지루하게 들린다.

2 The tea is strong. → The tea ________ strong.
그 차는 진한 맛이 난다.

3 The cookies are sweet. → The cookies ________ sweet.
그 쿠키들은 달달한 냄새가 난다.

4 The picture is interesting. → The picture ________ interesting.
그 그림은 흥미롭게 보인다.

5 Her long hair is soft. → Her long hair ________ soft.
그녀의 긴 머리카락은 부드럽게 느껴진다.

boring 지루한
strong 진한, 센
picture 그림
interesting 흥미로운
hair 머리카락

고쳐 쓰기

C 다음 문장의 밑줄 친 부분을 바르게 고쳐 쓰세요.

1 This new game looks difficultly. → ________
이 새 게임은 어려워 보인다.

2 The octopus dish tastes very well. → ________
그 문어 요리는 정말 맛이 좋다.

3 This green tea smells badly. → ________
이 녹차는 나쁜 냄새가 난다.

4 Your words sound truly. → ________
네 말은 진짜로 들려.

5 I feel really strangely. → ________
나는 정말로 이상하게 느껴.

difficultly 어렵게
octopus 문어
dish 요리
green tea 녹차
badly 나쁘게
truly 정말로, 진정으로
strangely 이상하게

Practice Book p. 70 Go!

17 4형식 수여동사

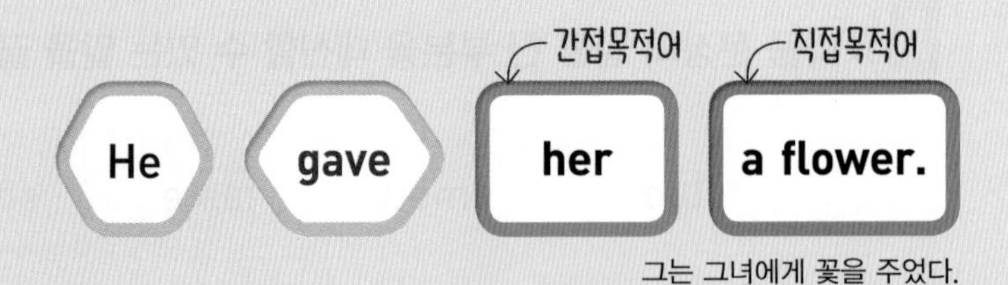

그는 그녀에게 꽃을 주었다.

▶ '주다'라는 의미를 갖는 수여동사는 '~에게'와 '~을'의 두 개의 목적어를 갖는다.

give(~에게 …을 주다) bring(~에게 …을 가져다주다) buy(~에게 …을 사 주다)
show(~에게 …을 보여 주다) make(~에게 …을 만들어 주다) send(~에게 …을 보내 주다)
teach(~에게 …을 가르쳐 주다) ask(~에게 …을 물어보다) tell(~에게 …을 말하다)

▶ 수여동사의 순서: 수여동사 + 간접목적어(~에게) + 직접목적어(…을)

I'll show you some pictures. 내가 너에게 그림 몇 점을 보여 줄게.
(you: 간접목적어, some pictures: 직접목적어)

▶ 간접목적어(~에게)는 전치사(to, for, of)를 이용해서 직접목적어(~을) 뒤로 갈 수 있다.

She showed me her pictures. → She showed her pictures to me.
He'll make you a desk. → He'll make a desk for you.
Tim asked me a question. → Tim asked a question of me.

Plus Tip
- to를 쓰는 동사: give, bring, send, show, teach, tell, pass 등 대부분의 수여동사
- for를 쓰는 동사: buy, make 등
- of를 쓰는 동사: ask 등

고르기

A 다음 괄호 안에서 알맞은 것을 고르세요.

1 He gave (me his glove / his glove me).
그는 나에게 그의 야구 장갑을 주었다.

2 Mom will make (a dress me / a dress for me).
엄마는 나에게 드레스를 만들어 주실 것이다.

3 Jane will buy (them bikes / their bikes).
제인은 그들에게 자전거를 사 줄 것이다.

4 Mr. Kim teaches (we English / us English).
김 선생님은 우리에게 영어를 가르치신다.

5 Mr. Green showed (the map to us / the map us).
그린 선생님은 우리에게 그 지도를 보여 주셨다.

glove (야구) 장갑
map 지도

Aha!
목적격 인칭대명사는 항상 '~을'로 해석하니?
좋은 질문이야! 수여동사가 쓰인 문장에서 간접목적어 자리에 오면, 그때는 '~에게'로 해석해야 해! 예를 들어, He told me a story.에서 me는 '나를'이 아닌 '나에게'로 해석해.

정답 ● p. 8

우리말 완성하기

B 다음 문장에서 '~에게'로 해석되는 부분에 동그라미 하고, 밑줄 친 부분의 우리말 뜻을 쓰세요.

1 Jake told us the news.

제이크는 ______________ 말해 주었다.

2 My teacher asked a question of Sam. Aha!

나의 선생님은 ______________ 했다.

3 Susan sent him an e-mail.

수잔은 ______________ 보냈다.

4 My dad gave a robot to my brother.

우리 아빠는 ______________ 주셨다.

5 She brought me a glass of milk.

그녀는 ______________ 가져다주었다.

Aha!

수여동사가 쓰인 문장에서 전치사의 해석이 헷갈려!

간접목적어가 전치사와 함께 뒤로 가더라도 해석은 '~에게'로 하는 거 잊지 마.
make a cake for me
→ 나를 위해 (×), 나에게 (○)

e-mail 이메일, 전자 우편
robot 로봇
a glass of 한 잔의

배열하기

C 다음 우리말과 같도록 주어진 말을 바르게 배열하여 문장을 완성하세요.

1 Can you pass ______________ ? (the salt, me)

너는 나에게 소금을 건네줄 수 있니?

2 She told ______________ . (the truth, us)

그녀는 우리에게 진실을 얘기해 줬다.

3 The dog brought ______________ . (to, an old shoe, Tom)

그 개는 톰에게 낡은 신발 한 짝을 가져다주었다.

4 My uncle sent ______________ . (a photo, me)

나의 삼촌은 나에게 사진 한 장을 보내 줬다.

5 David made ______________ . (us, spaghetti, for)

데이비드는 우리에게 스파게티를 만들어 주었다.

pass 건네다
salt 소금
truth 진실, 사실
shoe 신발 한 짝
photo 사진
spaghetti 스파게티

Practice Book p. 74 Go!

Grammar Book

18

5형식 동사

▶ **목적어 뒤에 목적어를 보충 설명하는 '목적격보어'가 오는 동사들이 있는데, 이 동사들을 '5형식 동사'라고 한다.**

make(~을 …하게 만들다) keep(~을 …하게 유지하다) name(~을 …라고 이름 짓다)
call(~을 …라고 부르다) think(~을 …라고 생각하다) paint(~을 …색으로 칠하다)

▶ **목적어 뒤에서 목적어를 보충 설명하는 '목적격보어'는 명사나 형용사가 온다.**

We named our son Tony. 우리는 우리 아들을 토니라고 이름 지었다. (Tony: 명사)

I think the story true. 나는 그 이야기를 사실이라고 생각한다. (true: 형용사)

▶ **5형식 동사의 순서: 5형식 동사 + 목적어 + 목적격보어**

He calls his dog Max. 그는 그의 개를 맥스라고 부른다. (his dog: 목적어, Max: 목적격보어)

Plus Tip
같은 동사가 여러 형식으로 쓰일 수 있다.
- He made that pizza. (3형식)
- He made me the pizza. (4형식)
- He made me a doctor. (5형식)

고르기

A 다음 괄호 안에서 알맞은 말을 고르세요.

1 The heater keeps (us warm / warm us). 그 히터는 우리를 따뜻하게 유지해 준다.

2 He calls (Baby me / me Baby). 그는 나를 아기라고 부른다.

3 I think (Ron honest / Ron honestly). 나는 론이 정직하다고 생각한다.

4 We painted (the chair green / green the chair). 우리는 그 의자를 초록색으로 칠했다.

5 She made (the room light / light the room). 그녀는 그 방을 밝게 만들었다.

heater 히터, 난방기
honest 정직한
honestly 정직하게
light 밝은

정답 ● p. 8

빈칸 채우기

B 다음 중 목적어를 보충 설명할 수 있는 말을 이용하여 문장을 완성하세요.

~~clean~~ hot safe yellow interesting

1 Cats keep their fur ___clean___. 고양이들은 그들의 털을 깨끗하게 유지한다.

2 He thinks the story ________. 그는 그 이야기가 흥미롭다고 생각한다.

3 The police keeps us ________. 경찰은 우리를 안전하게 해 준다.

4 They eat the chicken soup ________. 그들은 치킨수프를 뜨겁게 먹는다.

5 I painted my desk ________. 나는 내 책상을 노란색으로 칠했다.

clean 깨끗한
safe 안전한
fur 털
police 경찰

우리말 완성하기

C 다음 문장의 밑줄 친 부분에 유의하여 우리말 뜻을 완성하세요.

1 She painted the roof. → She painted the roof white.
그녀는 그 집을 칠했다. / 그녀는 ___그 지붕을 하얀색으로___ 칠했다.

2 People call the man. → People call the man a star.
사람들은 그 남자를 부른다. / 사람들은 ________ 부른다.

3 They keep the school. → They keep the school clean.
그들은 학교를 유지한다. / 그들은 ________ 유지한다.

4 Patty made the doll. → Patty made the doll beautiful.
패티는 그 인형을 만들었다. / 패티는 ________ 만들었다.

5 I named my dog. → I named my dog John.
나는 내 개를 이름 지어 주었다. / 나는 ________ 이름을 지어 주었다.

6 We thought James. → We thought James kind.
우리는 제임스를 생각했다. / 우리는 ________ 생각했다.

roof 지붕
star (가수나 배우 등의) 스타
doll 인형

Practice Book p. 78 Go!

Wrap-up Test

1~2 다음 빈칸에 들어갈 수 없는 것을 고르세요.

1

Tommy looks ______.

① young ② tired
③ good ④ happily
⑤ sleepy

2

This milk ________ bad.

① goes ② makes
③ smells ④ tastes
⑤ is

3~4 다음 중 틀린 문장을 고르세요.

3
① The song sounds beautiful.
② This coat keeps you warmly.
③ The water tastes strange.
④ I'll show you my drawing.
⑤ We call this dog Jacky.

4
① The story sounds boring.
② The book looks difficult.
③ Kate bought beef steak me.
④ Can you lend me your book?
⑤ His songs make the world beautiful.

5 다음 밑줄 친 부분 중 틀린 것을 고르세요.

① The food went bad.
② That sounds interesting.
③ His voice sounds sweet.
④ The bread smells good.
⑤ The man looks very well.

6~7 다음 빈칸에 들어갈 말이 바르게 짝지어진 것을 고르세요.

6

- I think the movie ______.
- You have to keep your room ______.

① bore – clean
② boring – clean
③ well – clean
④ sad – well
⑤ sadly – perfectly

7

- The dog ______ cute.
- This violin sounded ______.

① looks – strange
② sounds – well
③ feels – strange
④ sees – well
⑤ looks – strangely

8~9 **다음 괄호 안에서 알맞은 말을 고르세요.**

8

The man showed (us new shoes / new shoes us).

9

Would you pass (the book for me / the book to me)?

10 **다음 중 바르게 쓰인 문장을 고르세요.**

① The sofa feels hard.
② He kept warm my seat.
③ The girls look happily.
④ I thought the exam easily.
⑤ He sent the Christmas gift me.

11 **다음 우리말을 영어로 바르게 쓴 것을 고르세요.**

나의 반려동물은 항상 나를 기쁘게 만들어 준다.

① My pet always makes my happy.
② My pet always makes happily me.
③ My pet always makes me happily.
④ My pet always makes happy me.
⑤ My pet always makes me happy.

서술형

12 **다음 그림을 보고, 주어진 말을 바르게 배열하여 문장을 완성하세요.**

You ______________________________.
(the living room, clean, make, have to)

13~14 **다음 우리말과 같도록 주어진 말을 바르게 배열하세요.**

13

선생님은 우리에게 도넛을 사 주셨다.

➜ ______________________________
(bought, our teacher, us, some donuts)

14

우리는 우리 고양이를 '문'이라고 이름 지었다.

➜ ______________________________
(named, our cat, Moon, we)

15 **다음 문장에서 틀린 부분을 찾아 바르게 고쳐 문장을 다시 쓰세요.**

Ms. Brown gave fresh fruits for us.

➜ ______________________________

Unit 6 문장의 종류

개념 미리 보기

- 우리말에서처럼, 영어에서도 상황에 맞는 다양한 문장을 쓸 수 있어요.
- 자주 쓰이는 문장의 종류로는 명령문(~해라), 제안문(~하자), 감탄문(~하구나!), 부가의문문(그렇지? / 그렇지 않니?) 등이 있어요.

펼쳐 보기

명령문 / 제안문

You take this train. 너는 이 기차를 탄다.

Take this train.
이 기차를 타라.

Don't take this train.
이 기차를 타지 마라.

Let's take this train.
이 기차를 타자.

Let's not take this train.
이 기차를 타지 말자.

감탄문 / 부가의문문

It is a very beautiful flower. 그것은 매우 아름다운 꽃이다.
The flower is very beautiful. 그 꽃은 매우 아름답다.

What a beautiful flower (it is)!
(그것은) 참 아름다운 꽃이구나!

How beautiful (the flower is)!
(그 꽃은) 참 아름답구나!

It is a very beautiful flower, isn't it?
그것은 매우 아름다운 꽃이야, 그렇지 않니?

19 명령문

평서문	You plant trees.	너는 나무를 심는다.
명령문	~~You~~ Plant trees. Don't plant trees.	~~너는~~ 나무를 심어라. ~~너는~~ 나무를 심지 마라.

▶ 상대방에게 '~하라'고 명령하는 문장을 '명령문'이라고 한다.

▶ 명령문은 주어를 쓰지 않고 동사의 원형을 문장의 맨 앞에 쓴다.

[평서문] You are kind. 너는 친절하다. [명령문] Be kind. 친절해라.

You eat an apple every day. 너는 매일 사과 하나를 먹는다. Eat an apple every day. 매일 사과 하나를 먹어라.

▶ 상대방에게 '~하지 마라'라고 지시나 명령할 때는 〈Do+not+동사원형〉의 형태로 쓴다. Do not은 Don't로 줄여 쓸 수 있다. Don't 대신에 Never를 쓰면 '절대 ~하지 마라'라는 강한 금지의 표현이 된다.

Do it. 그것을 해라. → Don't do it. 그것을 하지 마라.

Tell me the story. 나에게 그 이야기를 해 줘.

→ Never tell me the story. 나에게 그 이야기를 절대 하지 마.

Plus Tip

명령문의 앞이나 뒤에 please를 쓰면 공손한 표현이 된다.

• Please don't run here. 이곳에서 뛰지 마세요.

고르기 1

A 다음 중 알맞은 문장의 종류에 체크(✓)하세요.

	평서문	명령문
1 Close the window, please. 창문을 닫아 주세요.	☐	☐
2 You always keep the door open. 너는 항상 문을 열어 놓는다.	☐	☐
3 You shouldn't drink that water. 너는 그 물을 마시면 안 된다.	☐	☐
4 Don't be so sad, Tony. 토니야, 너무 슬퍼하지 마.	☐	☐
5 I don't read comic books. 나는 만화책을 읽지 않는다.	☐	☐
6 Please take a seat. 자리에 앉아 주세요.	☐	☐

close 닫다
comic book 만화책
take a seat 자리에 앉다

정답 ● p. 9

고르기 2

B 다음 괄호 안에서 알맞은 말을 고르세요.

1 (Stand / Standing) up right now.
지금 당장 일어서라.

2 (Wore / Wear) your hat in the sun.
양지에서는 모자를 써라.

3 (Speak / Speaks) quietly in the library, please.
도서관에서는 조용하게 말하세요.

4 (Don't touches / Don't touch) the cake.
그 케이크를 만지지 마라.

5 (Fried / Fry) the beef in the pan.
냄비에 소고기를 튀겨라.

6 (Get / Gets) up early tomorrow morning.
내일 아침에 일찍 일어나라.

stand up 일어나다
wear ~을 착용하다
quietly 조용하게
touch 만지다
fry 튀기다
beef 소고기
pan 냄비

빈칸 채우기

C 다음 우리말과 같도록 주어진 말을 알맞은 형태로 고쳐 문장을 완성하세요.

1 ______________ late for school. (be) 학교에 지각하지 마라.

2 ______________ too many snacks. (eat) 간식을 너무 많이 먹지 마라.

3 ______________ to your parents. (listen) 부모님 말을 들어라.

4 ______________ the poor animals. (help) 불쌍한 동물들을 도와라.

5 ______________ at night. (sing) 밤에 노래하지 마라.

6 ______________ every day. (exercise) 매일 운동해라.

7 ______________ sunblock in the summer. (wear) 여름에는 선크림을 발라라.

8 ______________ in class. (chat) 수업 중에 잡담하지 마라.

be late for ~에 늦다
snack 간식
parents 부모님
poor 불쌍한
at night 밤에
exercise 운동하다
sunblock 선크림
in class 수업 중에
chat 수다를 떨다

Practice Book p. 84 Go!

20 제안문

평서문	We plant trees.	우리는 나무를 심는다.
제안문	~~We~~ Let's plant trees. ~~We~~ Let's not plant trees.	~~우리는~~ 나무를 심자. ~~우리는~~ 나무를 심지 말자.

▶ 상대방에게 '~하자'고 제안하는 문장을 '제안문'이라고 한다.

▶ '~하자'라고 제안할 때는 주어를 쓰지 않고 〈Let's+동사원형〉으로 쓴다.
Let's dance together. 함께 춤추자.
Let's meet at five o'clock. 5시에 만나자.

▶ '~하지 말자'라고 제안할 때는 〈Let's+not+동사원형〉으로 쓴다.
Let's not go to the movies. 영화 보러 가지 말자.
Let's not eat too much chocolate. 초콜릿을 너무 많이 먹지 말자.

고르기

A 다음 우리말과 같도록 괄호 안에서 알맞은 말을 고르세요.

1 (Let's / Let's not) study in the library together. 도서관에서 함께 공부하자.

2 (Let's / Let's not) go out on a rainy day. 비 오는 날에는 외출하지 말자.

3 (Let's / Let's not) take the subway this time. 이번에는 지하철을 타지 말자.

4 (Let's / Let's not) be nice to the new students. 새로 온 학생들에게 잘 해 주자.

5 (Let's / Let's not) take a walk in the park. 공원에서 산책하자.

6 (Let's / Let's not) waste our time. 우리 시간을 낭비하지 말자.

7 (Let's / Let's not) play badminton in the park. 공원에서 배드민턴을 치자.

rainy 비 오는
this time 이번에는
waste 낭비하다

고쳐 쓰기

B 다음 문장의 밑줄 친 부분을 바르게 고쳐 쓰세요.

1 Let's eats some cake for dessert. → ________
디저트로 케이크를 좀 먹자.

2 Let's going to the amusement park. → ________
놀이공원에 가자.

3 Let's had lunch at 1 p.m. → ________
오후 1시에 점심을 먹자.

4 Let's bought a big backpack. → ________
큰 배낭을 사자.

5 Let's washes the dirty clothes.

그 더러운 옷을 세탁하자.

dessert 디저트
amusement park 놀이공원
backpack 배낭
dirty 더러운
clothes 옷

바꿔 쓰기

C 다음 평서문을 제안하는 문장으로 바꿔 쓰세요.

1 He sings a song loudly. → ____________________
그는 크게 노래를 부른다. 크게 노래를 부르자.

2 We go on a picnic. → ____________________
우리는 소풍을 간다. 소풍을 가자.

3 She takes the bus to school. → ____________________
그녀는 버스를 타고 학교로 간다. 버스를 타고 학교로 가자.

4 We took off our shoes. → ____________________
우리는 우리의 신발을 벗었다. 우리의 신발을 벗자.

5 They watched the show together. → ____________________
그들은 쇼를 함께 보았다. 쇼를 함께 보자.

loudly 크게
take off ~을 벗다

Practice Book p. 88 Go!

21 감탄문

평서문	It is a very tall tree. 그것은 매우 큰 나무이다.	It is very tall. 그것은 매우 크다.
감탄문	What a tall tree it is! 그것은 참 큰 나무구나!	How tall it is! 그것은 참 크구나!

▶ **'참 ~하구나!'라고 놀라움이나 슬픔, 기쁨 등을 나타내는 문장을 '감탄문'이라고 하며, how나 what, 느낌표(!)를 이용하여 만든다.**

❶ 명사와 명사를 수식하는 형용사가 올 때: What+(a/an)+형용사+명사+주어+동사!

[평서문] It is a very funny story. (funny: 수식하는 형용사) [감탄문] What a funny story it is! 그것은 참 재미있는 이야기구나!

❷ 형용사나 부사를 강조: How+형용사(부사)+주어+동사!

[평서문] He is very kind. [감탄문] How kind he is! 그는 참 친절하구나!

He jumps very high. How high he jumps! 그는 참 높게 뛰는구나!

▶ **감탄문 끝에 오는 〈주어+동사〉는 생략할 수 있다.**

What a kind boy (he is)! (그는) 참 친절한 소년이구나!

Plus Tip What의 다양한 쓰임
- What a cute girl she is! 그녀는 참 귀여운 소녀구나! (감탄문)
- What is she doing? 그녀는 무엇을 하고 있니? (의문문)
- What movie did you see? 너는 무슨 영화를 봤니? (의문문)

고르기 1

A 다음 중 알맞은 문장의 종류에 체크(✔)하세요.

	평서문	감탄문
1 She is a very cute baby. 그녀는 아주 귀여운 아기이다.	☐	☐
2 What a long line! 정말 줄이 길구나!	☐	☐
3 How wonderful the city is! 정말 멋진 도시구나!	☐	☐
4 They are very healthy. 그들은 매우 건강하다.	☐	☐
5 How funny the movie is! 정말 웃기는 영화구나!	☐	☐

cute 귀여운
line 줄
city 도시

정답 ● p. 9

고르기 2

B 다음 괄호 안에서 알맞은 말을 고르세요.

1 (What / How) smart the baby is!
정말 똑똑한 아기구나!

2 (What / How) deep the river is!
정말 깊은 강이구나!

3 (What / How) a thick book it is!
그것은 정말 두꺼운 책이구나!

4 (What / How) a pretty dress she wears!
그녀는 정말 멋진 드레스를 입고 있구나!

5 (What / How) wonderful songs he sang! Aha!
그는 정말 멋진 노래들을 불렀구나!

smart 똑똑한
deep 깊은
thick 두꺼운

Aha!
What 감탄문에서 명사가 복수일 때는 a나 an을 쓰지 않아!
What ~~an~~ amazing stories they are!

바꿔 쓰기

C 다음 밑줄 친 부분을 How나 What을 이용하여 감탄문으로 완성하세요.

1 You are very kind. → ________________ you are!
너는 참 친절하구나!

2 She is a very kind girl. → ________________ she is!
그녀는 참 친절한 소녀구나!

3 Jack came very late. → ________________ Jack came!
잭은 참 늦게 왔구나!

4 They are very brave firefighters. → ________________ they are!
그들은 참 용감한 소방관들이구나!

5 The light is very bright. → ________________ the light is!
불빛이 참 밝구나!

6 He became a very tall man. → ________________ he became!
그는 참 키 큰 남자가 되었구나!

late 늦게
brave 용감한
firefighter 소방관
bright 밝은

Practice Book p. 92 Go!

22 부가의문문

You are tall, aren't you?
You slept, didn't you?

You aren't tall, are you?
You didn't sleep, did you?

▶ '부가의문문'은 자신이 한 말을 확인하거나 상대방의 동의를 구할 때 평서문 뒤에 붙이는 의문문으로, '그렇지', '그렇지 않니'라는 의미이다.

▶ 〈동사 + 주어?〉의 형태로, 앞 문장이 긍정이면 부정으로, 부정이면 긍정으로 되묻는다. 부가의문문의 주어는 항상 인칭대명사를 쓴다.

❶ be동사와 조동사는 그대로 쓰고, 긍정문이면 부정, 부정문이면 긍정의 의문문을 만든다.

Sam isn't kind, is he? 샘은 친절하지 않아, 그렇지?

Sally and Tom can run fast, can't they?
샐리와 톰은 빨리 달릴 수 있어, 그렇지 않니?

❷ 일반동사가 쓰인 문장은 주어와 시제에 따라 do, does, did를 쓰고, 긍정문이면 부정, 부정문이면 긍정의 의문문을 만든다.

Jack likes her, doesn't he? 잭은 그녀를 좋아해, 그렇지 않니?

Plus Tip

명령문의 부가의문문은 will you?로, 제안문의 부가의문문은 shall we?로 쓴다.

- Open the door, will you?
  문을 열어라, 알았지?
- Let's start at six, shall we?
  여섯 시에 시작하자, 그럴래?

고르기

A 다음 괄호 안에서 알맞은 말을 고르세요.

1 Sam was hungry, (was / wasn't) he?
샘은 배가 고팠어, 그렇지 않니?

2 He didn't come home early, (did / didn't) he?
그는 집에 일찍 오지 않았어, 그렇지?

3 My sister kept the room clean, (did / didn't) she?
나의 언니는 그 방을 깨끗하게 유지했어, 그렇지 않니?

4 The man can't speak English, (can / can't) he?
그 남자는 영어를 말하지 못해, 그렇지?

5 Her parents will pick up Sally, (will / won't) they?
그녀의 부모님은 샐리를 데리러 갈 거야, 그렇지 않니?

pick up 데리러 가다

정답 • p. 9

빈칸 채우기

B 다음 문장의 빈칸에 알맞은 말을 쓰세요.

1 Ann can't come, can ________?
앤은 올 수 없어, 그렇지?

2 Ms. White is a teacher, isn't ________?
화이트 씨는 선생님이야, 그렇지 않니?

3 Jim knows you, doesn't ________?
짐은 너를 알아, 그렇지 않니?

4 Those pants are too short, aren't ________?
그 바지들은 너무 짧아, 그렇지 않니?

5 Mary and Sam are your dogs, aren't ________?
메리와 샘은 너의 개야, 그렇지 않니?

6 You and your brother caught a cold, didn't ________?
너와 네 남동생은 감기에 걸렸어, 그렇지 않니?

7 The actor is handsome, isn't ________?
그 배우는 잘생겼어, 그렇지 않니?

pants 바지
catch a cold 감기에 걸리다
actor 남자 배우
handsome 잘생긴

동그라미 하고, 빈칸 채우기

C 다음 문장에서 (be)동사나 조동사에 동그라미 하고, 빈칸에 알맞은 말을 쓰세요. (부정어가 포함되어 있으면 부정어까지 동그라미 하세요.)

1 The boy always talks a lot, doesn't he?

2 You and Ted aren't brothers, ________ ________?

3 This meeting room is cold, ________ ________?

4 Sera can't ride a bike, ________ ________?

5 Mary comes from Canada, ________ ________?

6 The computer didn't work, ________ ________?

7 Bring me some juice, ________ ________?

a lot 많이
meeting room 회의실
ride a bike 자전거를 타다
come from ~출신이다
Canada 캐나다
work 작동하다
bring 가져다주다

Practice Book p. 96 Go!

Unit 6

Wrap-up Test

1~3 다음 빈칸에 알맞은 것을 고르세요.

1

_______ the windows. It's too hot here.

① Open ② Opens
③ Opening ④ Opened
⑤ Don't open

2

_______ a big watermelon it is!

① Who ② How
③ What ④ When
⑤ Which

3

You like curry, _______?

① are you ② don't you
③ aren't you ④ do you
⑤ did you

4~5 다음 밑줄 친 부분 중 틀린 것을 고르세요.

4
① Stand in line, please.
② Please keep quiet here.
③ Don't fly a drone here.
④ Open your books to page 40.
⑤ Doesn't play the drums like that.

5
① Lin doesn't take a shower, does Lin?
② You were thirsty then, weren't you?
③ Let's pick up some trash, shall we?
④ He gave you his book, didn't he?
⑤ Do your homework, will you?

6 다음 중 바르게 쓰인 문장을 고르세요.

① How a scary story it is!
② Not let's help sick people.
③ What exciting the game is!
④ What small gloves they are!
⑤ Turn off the TV, won't you?

7 다음 빈칸에 알맞은 말이 바르게 짝지어진 것을 고르세요.

• _______ me the truth.
• I'm cold. _______ the window, please.

① Tell – Close
② Tell – Don't close
③ Telling – Closing
④ Don't tell – To close
⑤ Don't tell – Don't close

8 다음 빈칸에 공통으로 알맞은 것을 고르세요.

• _______ much do you need?
• _______ heavy your bag is!

① How ② What ③ When
④ Which ⑤ Where

9 다음 괄호 안에서 알맞은 말을 고르세요.

Anna can't drive a car, (can she / can't she)?

10 다음 우리말과 같도록 빈칸에 알맞은 말을 쓰세요.

_______ a great concert it was!
정말 멋진 콘서트였어!

11 다음 빈칸에 알맞은 말이 나머지와 다른 것을 고르세요.

① You were tired yesterday, _______?
② You went to the airport, _______?
③ You sent John an e-mail, _______?
④ You cooked dinner, _______?
⑤ You studied Korean, _______?

12 다음 우리말을 영어로 바르게 쓴 것을 고르세요.

제니는 형형색색의 펜들을 갖고 있구나!

① How colorful pens Jenny has!
② How Jenny has colorful pens!
③ What Jenny has colorful pens!
④ What colorful pens Jenny has!
⑤ What a colorful pens Jenny has!

서술형

13 다음 그림을 보고, 주어진 말을 이용하여 문장을 완성하세요.

➜ ____________________
(let's, some grapes)

14~15 다음 우리말과 같도록 주어진 말을 바르게 배열하세요.

14 샘은 2시에 점심을 먹었어, 그렇지 않니?

➜ ____________________
(had, didn't, at 2, lunch, he, Sam)

15 새치기하지 마라. 줄을 서라.

➜ ____________________
(stand, in, don't, line, in, cut, line)

Unit 5~6

Grammar Map

여러 가지 동사

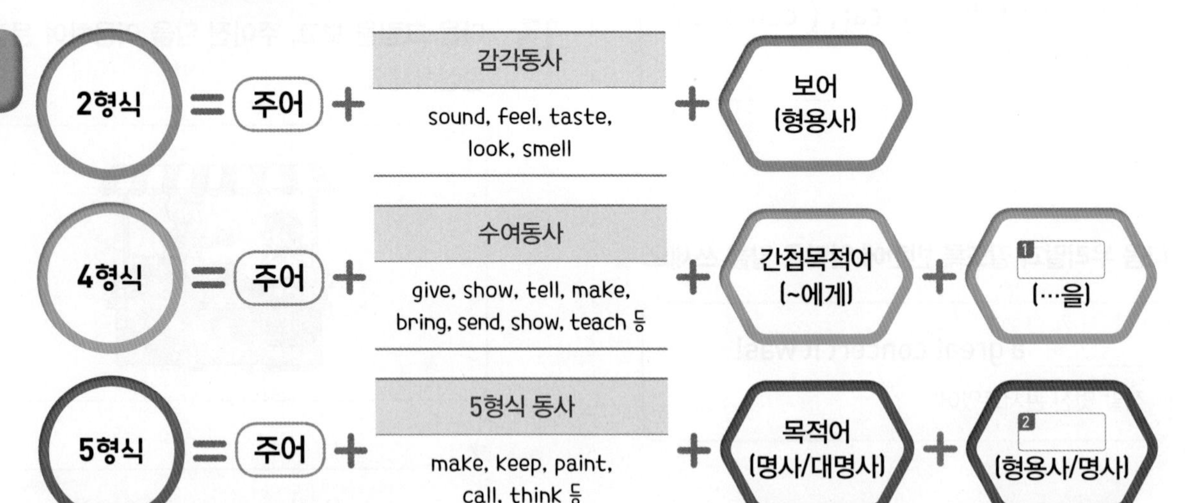

문장의 종류

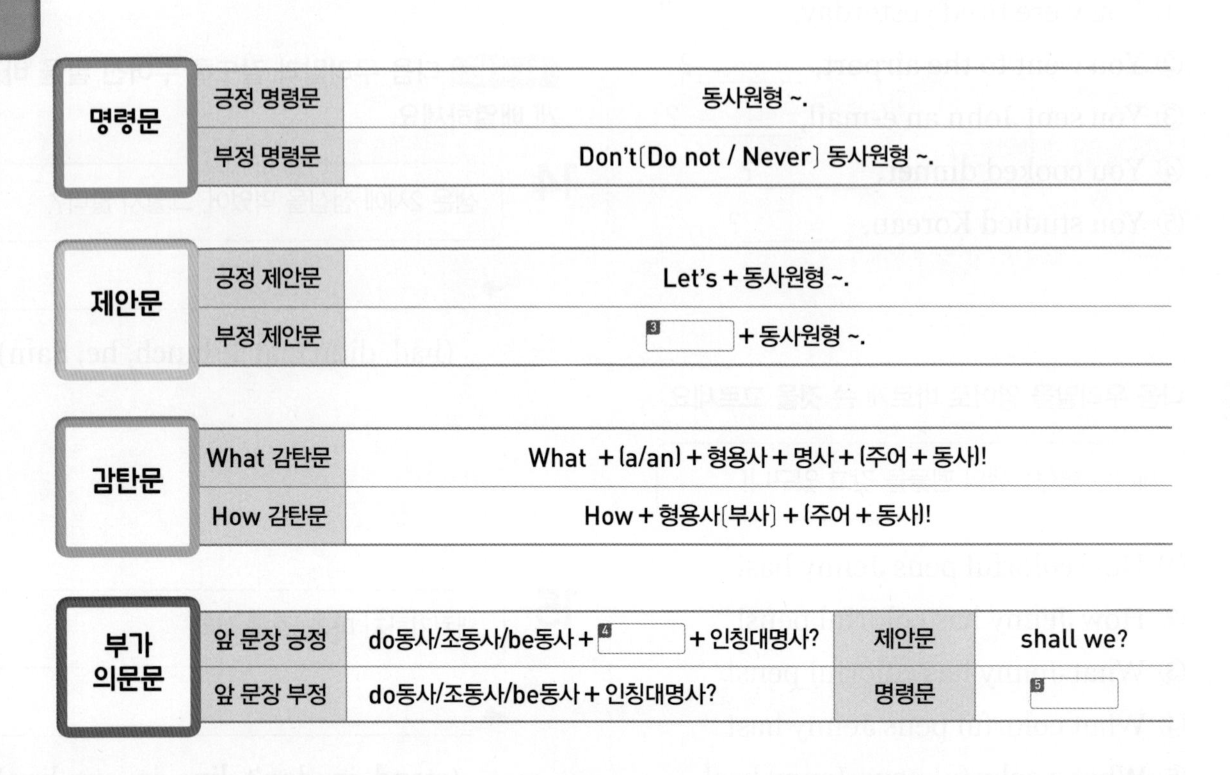

명령문	긍정 명령문	동사원형 ~.
	부정 명령문	Don't(Do not / Never) 동사원형 ~.

제안문	긍정 제안문	Let's + 동사원형 ~.
	부정 제안문	3 ( ) + 동사원형 ~.

감탄문	What 감탄문	What + (a/an) + 형용사 + 명사 + (주어 + 동사)!
	How 감탄문	How + 형용사(부사) + (주어 + 동사)!

부가 의문문	앞 문장 긍정	do동사/조동사/be동사 + 4 ( ) + 인칭대명사?	제안문	shall we?
	앞 문장 부정	do동사/조동사/be동사 + 인칭대명사?	명령문	5 ( )

정답 | 1 직접목적어 2 목적격보어 3 Let's not 4 not 5 will you?

Unit 5~6

Final Test

맞은 개수 / 20

정답 • p. 10

1~2 다음 빈칸에 알맞은 것을 고르세요.

1

You look ________ today.

① hardly ② happily
③ handsome ④ sickness
⑤ sadly

2

Don't close the door, ________?

① do you ② will you
③ don't you ④ won't you
⑤ shall we

3~4 다음 밑줄 친 부분 중 틀린 것을 고르세요.

3 ① The cat looks cute.
② What a nice day it is!
③ I'll give some advice you.
④ Let's not make a snowman.
⑤ Be careful when you get off the bus.

4 ① You won't call her, do you?
② You won the race, didn't you?
③ You were happy, weren't you?
④ Let's help poor people, shall we?
⑤ Sally didn't go to the movies, did she?

서술형

5 다음 우리말과 같도록 주어진 말을 이용하여 문장을 완성하세요.

그는 나를 키티라고 부른다.

→ ________________________

(call, Kitty)

6~7 다음 빈칸에 알맞은 말이 바르게 짝지어진 것을 고르세요.

6

• ________ brave the boy is!
• ________ a nice dress it is!

① How – What
② What – How
③ What – Which
④ Let – What
⑤ What – What

7

• The golf ball ________ hard.
• This drink ________ sweet.

① tastes – looks
② feels – tastes
③ smells – tastes
④ makes – feels
⑤ looks – sounds

Unit 5~6

Final Test

8 다음 빈칸에 공통으로 알맞은 것을 고르세요.

- ________ much sugar do you need?
- ________ bright the star is!

① That ② What
③ How ④ Where
⑤ Which

서술형

9 다음 문장에서 틀린 부분을 찾아 바르게 고쳐 쓰세요.

Peter broke the cup, didn't Peter?

________ ➜ ________

10~11 다음 괄호 안에서 알맞은 말을 고르세요.

10

(Let's not / Not let's) sing loudly.

11

(Don't / Not) take off your coat. It's cold.

12 다음 중 문장의 쓰임이 나머지와 다른 것을 고르세요.

① I think him honest.
② We call our cat Princess.
③ It will keep the water cold.
④ I think that the girl is Amy.
⑤ He painted the door green.

13~14 다음 빈칸에 알맞지 않은 것을 고르세요.

13

It smells ________.

① terrible ② bad
③ well ④ sweet
⑤ good

14

Mom made ________.

① me a dress ② some cookies us
③ me happy ④ us sandwiches
⑤ my brother a teacher

서술형

15 다음 우리말과 같도록 주어진 말을 바르게 배열하여 문장을 완성하세요.

그는 그 이야기가 지루하다고 생각한다.

➜ ________________

(thinks, he, boring, the story)

16 다음 중 틀린 문장을 고르세요.

① Go to sleep earlier.
② Don't go out at night.
③ Let's go to the restaurant.
④ He gave his name card for me.
⑤ What an interesting movie it is!

서술형
17 다음 문장을 부정문으로 바꿔 쓰세요.

Have a seat here.

➜ ____________________

서술형
18 다음 우리말과 같도록 주어진 말을 이용하여 문장을 완성하세요.

그 코끼리는 참 긴 코를 갖고 있구나!

➜ ____________________ has!
(nose, elephant)

서술형 업그레이드 

19 다음 그림을 보고, 주어진 말을 이용하여 명령문을 완성하세요.

(1) __________ when you walk. (careful)
(2) __________ here. (ride a bike)

20 다음 그림을 보고, let's와 주어진 말을 이용하여 제안하는 문장을 완성하세요.

(1) __________ on the ground. (pick up the trash)
(2) __________ on the ground. (throw away trash)

Memo
A
B
C

I See Grammar

I See Grammar

정답과 풀이

LEVEL 4

visang

ABOVE IMAGINATION

우리는 남다른 상상과 혁신으로
교육 문화의 새로운 전형을 만들어
모든 이의 행복한 경험과 성장에 기여한다

I See Grammar

정답과 풀이

LEVEL 4

Grammar Book 정답과 풀이

Unit 0 문장의 종류

1. 1/2/3형식 문장 .... p. 5

A 1 동사: are 보어: beautiful 2 동사: walk 3 동사: practice 목적어: the piano

B 1 The leaves look colorful. / 그 나뭇잎들은 색이 다채로워 보인다. / 2형식 2 The woman wears glasses. / 그 여자는 안경을 쓴다. / 3형식 3 The boys walk slowly. / 그 소년들은 천천히 걷는다. / 1형식

2. 4형식 문장 .... p. 6

A 1 간접목적어: us 직접목적어: some food 2 간접목적어: them 직접목적어: math 3 간접목적어: his parents 직접목적어: a letter 4 간접목적어: me 직접목적어: the picture

B 1 of 2 to 3 for

3. 5형식 문장 .... p. 7

A 1 목적어: the book 목적격보어: boring 2 목적어: the room 목적격보어: warm 3 목적어: his little sister 목적격보어: angry 4 목적어: the superhero 목적격보어: Spiderman

B 1 우리는 축구 경기를 본다. / 3형식 2 그는 방을 어둡게 만든다. / 5형식 3 제리는 그의 반려동물을 카라라고 이름 지었다. / 5형식 4 그녀는 짐에게 크리스마스 카드를 보냈다. / 4형식

Unit 1 비교급과 최상급

01 비교급과 최상급의 의미와 쓰임 pp. 10~11

A 2 long / longer / longest
3 strong / stronger / strongest
4 cheap / cheaper / cheapest

B 1 taller 2 longest 3 the fastest 4 thicker
5 smaller

C 1 taller, the tallest 2 faster, the fastest
3 short, the shortest 4 stronger, the strongest

02 비교급과 최상급 (규칙 변화) pp. 12~13

A 1 hotter 2 prettiest 3 largest 4 more carefully
5 most interesting

B 2 cuter 3 nicer 4 wider 5 younger 6 warmer
7 nearer 8 darker 9 happier 10 busier
11 earlier 12 heavier 13 more quickly
14 more famous 15 more delicious
16 more important

C 1 hotter 2 bigger 3 more important
4 the saddest 5 most difficult 6 the busiest

03 비교급과 최상급 (불규칙 변화) pp. 14~15

A 1 better 2 least 3 better 4 worst 5 farthest

B 1 more 2 better 3 the best 4 the least
5 the most

C 2 the farthest 3 the best 4 more 5 the worst

04 비교급 + than / 최상급 + of [in] pp. 16~17

A 2 smaller 3 shortest 4 tallest
5 most famous

B 2 in 3 than 4 in 5 than 6 in

C 2 older 3 younger 4 youngest of
5 oldest of

Wrap-up Test pp. 18~19

1 ② 2 ⑤ 3 ③ 4 ⑤ 5 ④ 6 ③ 7 the busiest 8 larger 9 ④ 10 ③ 11 the best 12 Willy has the least money of the three. 13 This shirt is the most expensive in my store. 14 IU is the most famous singer in Korea. 15 is the tallest building in Korea

1 〈짧은 모음 + 짧은 자음〉으로 된 단어는 자음을 한 번 더 쓰고 -er을 붙인다. (hot – hotter – hottest)

2 긴 음절로 이루어진 단어는 비교급을 만들 때 -er 대신에 앞에 more를 붙인다. (handsome – more handsome – most handsome)

3 첫 번째 빈칸에는 many의 비교급 형태가 들어가야 하고, 두 번째 빈칸에는 quickly의 비교급 형태가 들어가야 하므로 공통으로 알맞은 것은 more이다.

4 beautiful의 최상급은 most beautiful이며, 최상급 표현은 앞에 the를 붙여야 한다.

5 delicious는 긴 음절의 단어이므로 비교급을 쓸 때 앞에 more를 써야 한다.

6 첫 번째 빈칸에는 비교급 문장이므로 than이 들어가야 하고, 두 번째 빈칸에는 '~에서'라는 뜻의 in이 들어가야 한다.

7 최상급 앞에는 the를 써야 한다.

8 뒤에 than이 있으므로 비교급 형태가 알맞다.

9 〈자음+y〉로 끝나는 단어는 y를 i로 고치고 -er을 붙인다. (prettyer → prettiest)

10 healthy의 비교급은 y를 i로 고치고 -er을 붙인다. (more healthy → healthier)

11 well의 최상급은 best이다.

12 돈을 가장 적게 가지고 있는 사람은 윌리(3달러)이다. least는 little의 최상급 형태이다.

[13-14] expensive의 최상급은 most expensive이며, famous의 최상급은 most famous이다. 최상급 표현은 앞에 the를 붙여야 한다. 또한 범위를 나타내는 전치사 in을 써서 '~에서'를 표현한다.

15 〈the+최상급+명사+in〉의 순서로 배열한다.

Unit 2 접속사

05 and, but, or의 의미와 쓰임 pp. 22~23

A 1 and 2 and 3 but 4 and 5 but 6 but

B 1 or 2 or 3 but 4 but 5 or

C 2 Fruits and vegetables 3 Kate and Willy
4 big and strong
5 watched TV and listened to music
6 My mom cooks dinner, and I clean my room.

06 before와 after의 의미와 쓰임 pp. 24~25

A 1 before 2 after 3 before 4 before 5 after

B 1 before 2 After 3 after 4 before 5 After

C 2 before you swim
3 after I take a warm shower
4 Before we cross the street
5 After Susan comes back home

07 when과 because의 의미와 쓰임 pp. 26~27

A 1 because 2 when 3 because 4 when
5 because 6 When

B 1 when 2 Because 3 When 4 When
5 because

C 2 When I entered the room
3 because it is raining
4 because it was too dark
5 when you cross the street
6 because he didn't wear a coat

08 that의 의미와 쓰임 pp. 28~29

A 1 hopes / hopes와 she 사이에 들어감.
2 promise / promise와 I'll 사이에 들어감.
3 know / know와 they 사이에 들어감.
4 forgot / forgot과 the 사이에 들어감.
5 believe / believe와 the 사이에 들어감.
6 know / know와 an 사이에 들어감.

B 1 ① 2 ② 3 ① 4 ① 5 ②

C 2 that you are okay
3 that we are brother and sister
4 that I met the man before
5 that Sera will move to another city

Wrap-up Test

pp. 30~31

1 but 2 before 3 that 4 ① 5 ④ 6 ① 7 ④ 8 ③ 9 ② 10 Before 11 ③ 12 We go to the school by bus or by subway. 13 I took a shower before I went to the library. / Before I went to the library, I took a shower. 14 I like grapes, but I don't like bananas. 15 We hope that you enjoy your stay here.

1 의미상 '~지만'이라는 뜻이 되어야 하므로 but이 알맞다.
2 '~하기 전에'라는 뜻이 되어야 하므로 before가 알맞다.
3 know의 목적어를 이끄는 접속사가 들어가야 한다.
4 '~ 또는, ~나'라는 뜻으로 '선택'을 나타내는 접속사는 or이다.
5 첫 번째 빈칸에는 때를 나타내는 접속사가, 두 번째 빈칸에는 '언제'라는 뜻의 의문사가 들어가야 하므로 공통으로 들어갈 수 있는 것은 When이다.
6 목적어를 이끄는 that은 생략할 수 있다.
7 좋아하는 것을 열거하는 내용이므로 but 대신에 and가 들어가야 한다.
8 believe의 목적어를 이끄는 접속사가 들어가야 한다. (→ that)
9 원인과 결과의 흐름인 ②에는 because가 들어가야 하지만 나머지 빈칸에는 when이 들어간다.
10 after는 before를 이용하여 바꿔 쓸 수 있는데, 일의 전후가 달라지기 때문에 앞뒤 문장의 위치가 바뀌는 것에 주의한다.
11 첫 번째 빈칸에는 때를 나타내는 접속사, 두 번째 빈칸에는 목적어를 이끄는 접속사가 들어가야 한다.
12 접속사 or로 연결되는 것은 대등한 내용이 와야 하므로 by bus(전치사구)로 고쳐 써야 한다.
13 내용상 '~전에'라는 뜻을 갖는 before를 이용하여 문장을 연결한다. 접속사가 이끄는 문장이 앞에 올 경우는 문장의 끝에 쉼표(,)를 써야 한다.
14 내용상 '~지만'이라는 뜻을 갖는 but을 이용하여 문장을 연결한다.
15 〈주어(We) + 동사(hope) + that이 이끄는 절〉의 순서로 배열한다.

Unit 1~2 Final Test

pp. 33~35

1 ③ 2 ④ 3 ② 4 ⑤ 5 The actor is the most handsome of the four. 6 ④ 7 ③ 8 ① 9 is the most important thing in 10 After I checked my schedule, I sent a text message. 11 the shortest month of the year 12 ① 13 ⑤ 14 After 15 before 16 that 17 more apples than 18 She believed that they discovered a new world. 19 (1) faster than (2) the fastest (3) the most slowly of the three 20 (1) After I did my homework (2) Before I went to the dentist

1 '~ 중에서'라는 뜻으로는 in이 아니라 of를 써야 한다.
2 know의 목적어를 이끄는 접속사는 that이다.
3 bad의 비교급과 최상급은 worse – worst이다.
4 '~ 중에서 가장 …한'이라는 최상급 문장이 되어야 하므로 many의 최상급 표현인 the most를 써야 한다.
5 the 다음에 most handsome, of 순서로 배열한다.
6 첫 번째 빈칸에는 뒤에 than이 있으므로 비교급 형태가 들어가야 한다. 두 번째 빈칸에는 두 개의 대등한 내용이 연결되고 있으므로 '그리고'라는 의미의 접속사가 들어가야 한다.
7 첫 번째 빈칸에는 difficult의 최상급 표현이 와야 하므로 the most가, 두 번째 빈칸에는 목적어를 이끄는 접속사 that이 들어가야 한다.
8 최상급 다음에 '~에서'라는 뜻을 갖는 것은 in이다.
9 be동사 뒤에 the most important thing이 오고 맨 마지막에 전치사가 오는 순서로 배열한다.
10 접속사 after를 이용하면 일의 전후 관계가 바뀌는 것에 유의한다.
11 short의 최상급은 the shortest로 쓰며, 전치사구 of the year는 맨 뒤에 쓴다.
12 뒤에 than이 있으므로 비교급 형태가 되어야 하는데, little의 비교급은 less이다.
13 패스트푸드가 건강에 좋은 것이 아니어서 먹지 않았다는 흐름이므로 이유를 나타내는 접속사 Because가 와야 한다.
14 '~한 후에'라는 뜻을 갖는 접속사는 after이다.
15 자기 전에 컴퓨터를 끈다는 흐름이므로, 시간상 먼저의 일을 나타내는 접속사 before가 와야 한다.
16 know의 목적어를 이끄는 접속사가 들어가야 한다.
17 제인이 앤보다 사과를 더 많이 갖고 있으므로 비교급 형태를 이용하여 문장을 완성한다.
18 동사의 목적어를 이끄는 that은 생략할 수 있다. believed가 동사이므로 뒤에 that이 와야 한다.

19 비교급과 최상급을 이용하여 문장을 완성한다. 최상급 앞에는 the를 쓰고, 전체 범위(거북이, 토끼, 말)를 나타내기 위해 전치사구 of the three를 뒤에 쓴다. (fast–faster–fastest / slowly–more slowly–most slowly)

20 after와 before를 이용할 때는 일의 전후 관계를 잘 파악해야 한다. 일과표를 보면, 숙제를 2시에 한 후 3시에 간식을 먹었으며, 5시에 태권도 연습을 하기 전인 4시에 치과에 갔음을 알 수 있다.

Unit 3 to부정사

09 to부정사의 형태와 쓰임 pp. 38~39

A 1 To draw 2 to go 3 To ride 4 to learn 5 to build 6 to become 7 To watch 8 to cook

B 1 to go 2 to read 3 To meet 4 to make 5 To play

C 1 to cut 2 To run 3 to become 4 To travel

10 목적어로 쓰이는 to부정사 pp. 40~41

A 1 to be / 목적어 2 To plant / 주어 3 to clean / 목적어 4 to go / 목적어 5 to meet / 보어

B 1 to eat 2 to visit 3 to study 4 to see

C 1 to swim in the river
2 to play the violin
3 to study science
4 to watch TV

11 부사적 용법의 to부정사 pp. 42~43

A 1 I go to the station to take the train.
2 He goes to the library to check out books.
3 We go to the playground to play soccer.
4 She goes to the market to buy some fruit.

B 1 to meet 2 to watch 3 to take 4 to buy 5 to go

C 1 to watch 2 to have 3 to miss 4 to buy 5 to check

12 형용사적 용법의 to부정사 pp. 44~45

A 1 homework to do 2 shoes to wear 3 a cake to eat 4 music to listen to 5 milk to drink 6 a window to clean 7 a computer to fix 8 something to drink

B 1 a letter to write 2 some bread to eat 3 a shirt to wear 4 the movie to watch

C 1 the car to drive 2 the meat to cook 3 the books to read 4 the dishes to wash

Wrap-up Test pp. 46~47

1 ③ 2 ③ 3 ② 4 ③ 5 ⑤ 6 ③ 7 to skate 8 to do, to read 9 ① 10 ④ 11 ⑤ 12 to do, to watch 13 We go to the supermarket to buy snacks. 14 Her dream is to become a designer. 15 They have a lot of work to do today.

1 동사를 명사처럼 주어로 쓸 때는 To learn으로 쓴다.

2 to부정사는 〈to + 동사원형〉으로 쓰므로 to make로 쓴다.

3 ③에는 3인칭 단수 주어(He)의 일반동사의 부정문(doesn't + 동사원형)이므로 play가 알맞고, 나머지는 to부정사를 목적어로 가지는 동사의 뒤에 들어가는 말이므로 to play가 알맞다.

4 '만나기 위해'의 목적의 뜻을 나타내야 하므로 to부정사 형태인 to meet로 쓴다.

5 동사를 명사처럼 주어와 보어로 쓸 때는 to부정사로 쓴다.

6 plan은 to부정사를 목적어로 가지는 동사이다.

7 '스케이트를 타기 위해'의 목적의 뜻을 나타내야 하므로 to skate로 쓴다.

8 to부정사는 형용사처럼 명사를 꾸며 줄 수 있다. homework to do는 '해야 할 숙제', books to read는 '읽을 책'이라는 뜻이다.

9 wash가 two cups를 꾸며 주어 '씻을 두 개의 컵'을 의미하려면 wash를 to wash로 고쳐야 한다.

10 ④는 to부정사의 부사적 용법 중 '~하기 위해'의 목적의 의미를 나타내고, 나머지는 '~해서'라는 원인을 나타낸다.

11 '그 소녀는 피아니스트가 되기를 희망해서 피아노를 배운다.'라는 의미이므로 동사 become과 play가 와야 하는데, hope와 learn은 to부정사를 목적어로 가지는 동사이므로 빈칸에는 각각 to become과 to play가 들어가야 한다.

12 want는 to부정사를 목적어로 가지는 동사이므로 '하다'를 뜻하는 동사 do와 '보다'를 뜻하는 동사 watch의 to부정사인 to do와 to watch가 빈칸에 알맞다.

13 '간식을 사기 위해 슈퍼마켓에 간다'는 흐름이 되도록 〈주어＋동사＋to부정사(목적)〉 순으로 배열한다.

14 ~하는 것(이다)'를 의미하는 명사적 용법의 to부정사를 사용하여 쓸 수 있다. to become은 문장에서 보어 역할을 한다.

15 to부정사는 형용사처럼 명사를 꾸며 줄 수 있으므로 '해야 할 일'은 work to do로 쓴다.

Unit 4 동명사

13 동명사의 형태와 쓰임 pp. 50~51

A 1 Going 2 designing 3 studying 4 Watching 5 meeting 6 Painting 7 going 8 Cleaning

B 1 Reading 2 going 3 collecting 4 Drinking 5 becoming

C 1 fixing 2 riding 3 making 4 becoming

14 목적어로 쓰인 동명사 pp. 52~53

A 1 I eating / 목적어 2 Speaking / 주어 3 Watching / 주어 4 building / 보어 5 becoming / 보어 6 taking / 목적어

B 1 Finishing 2 eating 3 Building 4 painting

C 1 listening to music 2 drawing pictures 3 making a rocket 4 Becoming a superhero

15 동명사/to부정사를 목적어로 갖는 동사 pp. 54~55

A 1 writing 2 to speak 3 seeing, to see 4 walking 5 to go 6 playing

B 1 working[to work] 2 to visit 3 running 4 cooking 5 to learn

C 1 to have 2 watching[to watch] 3 doing 4 going 5 to meet

Wrap-up Test pp. 56~57

1 ③ 2 ② 3 ④ 4 ⑤ 5 ③ 6 ④ 7 ⑤ 8 ① 9 ⑤ 10 to win, practicing 11 Watching, to go 12 going[to go], riding[to ride]
13 Washing your hands with soap is important.
14 The girl enjoys playing the violin very much.
15 We practice speaking and writing in English.

1 문장의 주어 자리에는 동명사나 to부정사를 써야 한다. (→ Listening[To listen])

2 문장의 보어 자리이므로 동명사나 to부정사를 써야 한다. (→ meeting[to meet])

3 ④는 동사 like의 목적어로 쓰였고 나머지는 문장의 보어로 쓰였다.

4 enjoy는 동명사를 목적어로 가지는 동사이므로 going이 들어가지만, 나머지는 to부정사를 목적어로 가지는 동사이므로 to go가 들어간다.

5 주어 역할을 해야 하므로 동명사 Going이 알맞다.

6 finish는 동명사를 목적어로 가지는 동사이다.

7 keep과 give up은 모두 동명사를 목적어로 가지는 동사이다.

8 finish는 동명사를 목적어로 가지는 동사이므로 to work를 working으로 고쳐야 한다.

9 like는 동명사와 to부정사 둘 다를 목적어로 가지는 동사이다. 들판에서 그림을 그리는 상황이므로 drawing pictures가 가장 알맞다.

10 hope는 to부정사를 목적어로 가지는 동사이므로 to win이 알맞다. keep은 동명사를 목적어로 가지는 동사이므로 practicing이 알맞다.

11 문장의 주어 자리에는 동명사나 to부정사가 오므로 Watching이 알맞다. plan은 to부정사를 목적어로 가지는 동사이므로 to go가 알맞다.

12 like와 love는 동명사와 to부정사를 모두 목적어로 가지는 동사이다.

13 동명사인 washing을 문장의 주어로 하여 '비누로 손을 씻는 것은 중요하다.'의 뜻이 되도록 문장을 완성한다.

14 enjoy는 동명사를 목적어로 가지는 동사이므로 enjoys playing을 이용하여 '그 소녀는 바이올린을 연주하는 것을 아주 즐긴다.'의 뜻이 되도록 문장을 완성한다.

15 practice는 동명사를 목적어로 가지는 동사이므로 speak와 write를 동명사인 speaking과 writing으로 써야 한다.

Unit 3~4 Final Test pp. 59~61

1 ① 2 ⑤ 3 ② 4 ⑤ 5 ⑤ 6 Playing[To play], to play 7 ②, ④ 8 ③, ④ 9 ③ 10 ② 11 something to eat 12 to see 13 This is the movie to watch tonight. 14 He doesn't enjoy playing online games. 15 riding a bike 16 to swim 17 Her dream is becoming[to become] a designer. 18 They have a lot of work to do today. 19 (1) to do (2) to become (3) reading (4) writing 20 (1) playing[to play], listening (2) training[to train], looking [to look], to find

1 문장의 보어 자리에는 동명사나 to부정사가 온다. (→ passing[to pass])

2 want는 to부정사를 목적어로 가지는 동사이므로 to be로 써야 한다.

3 give up은 동명사를 목적어로 가지는 동사이므로 making이 알맞고, 나머지는 to부정사를 목적어로 가지는 동사이므로 to make가 알맞다.

4 need와 want는 모두 to부정사를 목적어로 가지는 동사이다.

5 문장의 주어 자리에는 동명사나 to부정사가 오므로 Taking이나 To take가 알맞다. plan은 to부정사를 목적어로 가지는 동사이므로 to visit이 알맞다.

6 첫 번째 빈칸은 문장의 주어 자리이므로 동명사나 to부정사가 들어가야 한다. 두 번째 빈칸은 hope가 to부정사를 목적어로 가지는 동사이므로 to부정사가 들어가야 한다.

7 문장의 보어 자리에는 동명사나 to부정사를 쓸 수 있으므로 cooking 또는 to cook이 알맞다.

8 like는 동명사와 to부정사를 둘 다 목적어로 가지는 동사이므로 playing 또는 to play가 알맞다.

9 finish가 math homework를 수식하여 '끝내야 할 수학 숙제'를 의미하려면 finish를 to부정사 형태인 to finish로 써야 한다.

10 plan은 to부정사를 목적어로 가지는 동사이므로 목적어로 to go가 알맞다.

11 to부정사는 형용사처럼 앞에 있는 명사나 대명사를 꾸며 줄 수 있다. something to eat은 '먹을 무언가'를 뜻한다.

12 want는 to부정사를 목적어로 가지는 동사이므로 to see가 알맞다.

13 to부정사는 형용사처럼 앞에 있는 명사나 대명사를 꾸며 줄 수 있다. the movie to watch는 '볼 영화'라는 뜻이다.

14 enjoy는 동명사를 목적어로 가지는 동사이고, doesn't는 3인칭 일반동사의 앞에 써서 부정문을 만드는 표현이므로 doesn't enjoy playing의 어순으로 문장을 써야 한다.

15 자전거 타는 것을 연습하는 내용의 그림이므로 ride a bike를 이용하여 쓴다. practice는 동명사를 목적어로 가지므로 ride는 riding으로 쓴다.

16 수영을 배우는 내용의 그림이므로 swim을 이용하여 쓴다. learn은 to부정사를 목적어로 가지므로 swim은 to swim으로 쓴다.

17 문장의 보어 자리에는 동명사 또는 to부정사를 쓸 수 있다.

18 to부정사는 형용사처럼 앞에 있는 명사를 꾸며 줄 수 있으므로 '해야 할 일'은 work to do로 쓸 수 있다. a lot of는 '많은'의 의미로 앞에서 work를 수식한다.

19 want, hope는 to부정사를 목적어로 가지는 동사이고, enjoy, practice는 동명사를 목적어로 가지는 동사이다.

20 like, love, start는 동명사와 to부정사 둘 다를 목적어로 가지는 동사이고, enjoy는 동명사를, learn은 to부정사를 목적어로 가지는 동사이다.

Unit 5 여러 가지 동사

16 2형식 감각동사 pp. 64~65

A 1 looks / sleepy 2 feels / soft 3 sounds / great
4 tastes / sweet 5 look / beautiful
6 smells / funny

B 1 sounds 2 tastes 3 smell 4 looks 5 feels

C 1 difficult 2 good 3 bad 4 true 5 strange

17 4형식 수여동사 pp. 66~67

A 1 me his glove 2 a dress for me 3 them bikes
4 us English 5 the map to us

B 1 us / 우리에게 그 소식을
2 of Sam / 샘에게 질문을
3 him / 그에게 이메일을
4 to my brother / 내 남동생에게 로봇을
5 me / 나에게 우유 한 잔을

C 1 me the salt
2 us the truth
3 an old shoe to Tom
4 me a photo
5 spaghetti for us

18 5형식 동사 pp. 68~69

A 1 us warm 2 me Baby 3 Ron honest
4 the chair green 5 the room light

B 2 interesting 3 safe 4 hot 5 yellow

C 2 그 남자를 스타라고
3 학교를 깨끗하게
4 그 인형을 아름답게
5 내 개를 존이라고
6 제임스가 친절하다고

Wrap-up Test pp. 70~71

1 ④ 2 ② 3 ② 4 ③ 5 ⑤ 6 ② 7 ①
8 us new shoes 9 the book to me 10 ① 11 ⑤
12 have to make the living room clean 13 Our teacher bought us some donuts. 14 We named our cat Moon. 15 Ms. Brown gave fresh fruits to us.

1 look은 2형식 동사이므로 보어로 형용사가 와야 한다.

2 뒤에 형용사 보어 bad가 왔으므로 2형식 동사가 들어가야 한다. make는 목적어를 갖는 동사이다.

3 keep 다음에 명사나 대명사가 오고, 그 명사나 대명사를 보충 설명하는 형용사가 와야 하므로 warmly 자리에 warm이 와야 한다.

4 buy가 두 개의 목적어를 갖는 수여동사로 쓰일 때 '~에게'에 해당하는 간접목적어가 먼저 온 다음, '…을'에 해당하는 직접목적어가 온다. (beef steak me → me beef steak)

5 2형식 감각동사 look 다음에는 형용사가 와야 하므로 well은 good이 되어야 한다.

6 두 문장 모두 목적어를 보충 설명하는 목적격보어(형용사나 명사)가 필요하다.

7 첫 번째 빈칸에는 '~처럼 보이다'라는 뜻의 감각동사 looks가 들어가야 하고, 두 번째 빈칸에는 형용사가 들어가야 하는데, 내용상 strange가 알맞다.

8 show는 목적어를 두 개 갖는 동사로 '~에게'에 해당하는 간접목적어가 먼저 온 다음, '…을'에 해당하는 직접목적어가 온다.

9 pass는 '…을'에 해당하는 직접목적어가 먼저 올 경우 전치사 to가 간접목적어 앞에 온다.

10 ② keep은 5형식 동사이므로 목적어(my seat) 다음에 목적격보어(warm)가 와야 한다.
③ look은 2형식 동사이므로 보어로 형용사가 와야 한다. (happily → happy)
④ think가 5형식 문장으로 쓰였으므로 목적격보어는 형용사나 명사가 와야 한다. (easily → easy)
⑤ send가 4형식 동사이므로 간접목적어(me), 직접목적어(the Christmas gift) 순서로 쓰거나 sent the Christmas gift to me의 순서로 써야 한다.

11 make 다음에 목적어에 해당하는 명사나 대명사가 오고, 그 다음에 그 명사를 설명하는 목적격보어인 형용사가 와야 한다.

12 동사 make 다음에 명사 the living room이 온 뒤, 명사를 설명하는 clean이 와야 한다. have to는 동사 앞에 와서 '~해야만 한다'의 의미로 쓰인다.

13 buy가 두 개의 목적어를 갖는 수여동사로 쓰일 때 '~에게'에 해당하는 간접목적어 us가 먼저 온 다음, '…을'에 해당하는 직접목적어 some donuts가 온다.

14 5형식동사 name은 다음에 목적어가 오고 목적어를 설명하는 목적격보어가 그 뒤에 온다.

15 수여동사 give의 간접목적어 us를 직접목적어(fresh fruits) 뒤로 보낼 때 전치사 to를 써야 한다.

Unit 6 문장의 종류

19 명령문 pp. 74~75

A 1 명령문 2 평서문 3 평서문 4 명령문
5 평서문 6 명령문

B 1 Stand 2 Wear 3 Speak 4 Don't touch
5 Fry 6 Get

C 1 Don't be 2 Don't eat 3 Listen 4 Help
5 Don't sing 6 Exercise 7 Wear 8 Don't chat

20 제안문 pp. 76~77

A 1 Let's 2 Let's not 3 Let's not 4 Let's
5 Let's 6 Let's not 7 Let's

B 1 eat 2 go 3 have 4 buy 5 wash

C 1 Let's sing a song loudly.
2 Let's go on a picnic.
3 Let's take the bus to school.
4 Let's take off our shoes.
5 Let's watch the show together.

21 감탄문 pp. 78~79

A 1 평서문 2 감탄문 3 감탄문 4 평서문 5 감탄문

B 1 How 2 How 3 What 4 What 5 What

C 1 How kind 2 What a kind girl
3 How late 4 What brave firefighters
5 How bright 6 What a tall man

22 부가의문문 pp. 80~81

A 1 wasn't 2 did 3 didn't 4 can 5 won't

B 1 she 2 she 3 he 4 they 5 they
6 you 7 he

C 2 aren't / are you 3 is / isn't it
4 can't / can she 5 comes / doesn't she
6 didn't / did it 7 Bring / will you

Wrap-up Test pp. 82~83

1 ① 2 ③ 3 ② 4 ⑤ 5 ① 6 ④ 7 ①
8 ① 9 can she 10 What 11 ① 12 ④
13 Let's buy some grapes. 14 Sam had lunch at 2, didn't he? 15 Don't cut in line. Stand in line.

1 명령문이므로 동사원형으로 시작해야 한다.

2 뒤에 형용사와 명사가 나오므로 What이 이끄는 감탄문이 되어야 한다.

3 일반동사 현재시제가 쓰인 긍정문이므로 현재형 부정 부가의문문이 되어야 한다.

4 부정 명령문은 명령문 앞에 Don't를 붙여야 한다.

5 부가의문문에서는 앞에 나온 고유명사는 대명사로 받아야 하므로 Lin은 she로 써야 한다.

6 ① 뒤에 a와 명사가 나오므로 How 감탄문이 아니라 What 감탄문이 되어야 한다.
② Let's의 부정형은 Let's not으로 써야 한다.
③ 뒤에 형용사 exciting만 왔으므로 How 감탄문이 되어야 한다.
⑤ 명령문의 부가의문문은 will you로 쓴다.

7 내용상 두 문장 다 긍정의 명령문이 되어야 하므로 동사원형이 들어가야 한다.

8 첫 번째 빈칸에는 양을 나타내는 의문사가 들어가야 하고, 두 번째 빈칸에는 뒤에 형용사가 왔으므로 How를 이용한 감탄문이 되어야 하므로, 공통으로 알맞은 것은 How이다.

9 조동사가 있는 부정문이므로 can을 이용한 긍정의 부가의문문이 되어야 한다.

10 뒤에 a와 형용사, 명사가 왔으므로 What을 이용한 감탄문이 되어야 한다.

11 나머지 빈칸에는 didn't you가 들어가지만, ①에는 weren't you가 들어간다.

12 형용사 colorful과 명사 pens가 있으므로 What을 이용한 감탄문으로 써야 한다. pens가 복수이므로 a는 쓰지 않는다.

13 let's를 이용한 제안문으로 문장을 완성한다.

14 과거형 일반동사가 쓰인 긍정의 문장이므로, did를 이용하여 부정의 부가의문문을 만든다.

15 첫 문장은 부정 명령문으로, 두 번째 문장은 긍정의 명령문으로 쓴다. / cut in line 새치기하다, stand in line 줄을 서다

Unit 5~6 Final Test

pp. 85~87

1 ③ 2 ② 3 ③ 4 ① 5 He calls me Kitty. 6 ① 7 ② 8 ③ 9 didn't Peter → didn't he 10 Let's not 11 Don't 12 ④ 13 ③ 14 ② 15 He thinks the story boring. 16 ④ 17 Don't [Never] have a seat here. 18 What a long nose the elephant 19 (1) Be careful (2) Don't ride a bike 20 (1) Let's pick up the trash (2) Let's not throw away trash

1 look 다음에는 보어로 형용사가 와야 한다.

2 명령문은 부정이나 긍정에 상관없이 부가의문문은 will you를 쓴다.

3 give는 〈간접목적어(you) + 직접목적어(some advice)〉로 쓰거나 〈직접목적어(some advice) + to + 간접목적어(you)〉로 쓴다.

4 조동사 will이 쓰인 부정의 문장이므로 부가의문문은 will you가 되어야 한다.

5 call 다음에 목적어와 목적격보어 순서로 쓴다. 주어가 3인칭 단수 현재이므로 call 다음에 -s를 붙인다.

6 첫 번째 빈칸 다음에는 형용사가 왔으므로 How을 이용한 감탄문이, 두 번째 빈칸 다음에는 a와 형용사, 명사가 왔으므로 What을 이용한 감탄문이 되어야 한다.

7 첫 번째 빈칸 다음에 촉감을 나타내는 hard(단단한)가 왔으므로 '~한 느낌이 나다'라는 뜻의 feels가, 두 번째 빈칸에는 뒤의 sweet(달콤한)에 맞춰 '~한 맛이 나다'라는 뜻의 tastes가 알맞다.

8 첫 번째 빈칸에는 양을 나타내는 의문사가, 두 번째 빈칸에는 뒤에 형용사가 왔으므로 How를 이용한 감탄문이 되어야 하므로, 공통으로 알맞은 것은 How이다.

9 부가의문문에서 주어는 인칭대명사로 써야 한다.

10 Let's 제안문의 부정은 Let's 다음에 not을 붙인다.

11 명령문의 부정은 동사원형 앞에 don't[do not]를 붙인다.

12 나머지 문장은 동사와 목적어, 목적어를 설명하는 목적격보어로 이루어진 5형식 문장이지만, ④는 동사와 목적어(that ~ Amy)로 이루어진 3형식 문장이다.

13 smell은 감각동사이므로, 뒤에 형용사가 와야 한다.

14 make가 4형식으로 쓰일 때는 '~에게'에 해당하는 목적어가 먼저 오고, 다음에 '…을'에 해당하는 목적어가 온다. 또는 전치사를 이용하여 〈직접목적어 + for + 간접목적어〉로 쓸 수 있다. make가 5형식으로 쓰일 때는 목적어 다음에 목적격보어가 온다.

15 동사 think 다음에 목적어 the story, 목적어를 설명하는 형용사 boring 순서로 배열한다.

16 수여동사 give의 간접목적어를 직접목적어 뒤에 쓸 때 전치사 for가 아닌 to를 써야 한다.

17 명령문의 부정은 동사원형 앞에 Don't나 Never를 붙인다.

18 nose라는 명사가 있으므로 what을 이용한 감탄문으로 완성한다.

19 동사원형으로 시작하는 명령문과 〈Don't + 동사원형〉의 부정 명령문으로 문장을 완성한다.

20 '~하자'는 let's 다음에 동사원형을 쓰고, '~하지 말자'는 let's 다음에 not을 써서 표현한다.

Unit 1 비교급과 최상급

01 비교급과 최상급의 의미와 쓰임 pp. 2~3

개념 빈칸 채우기

1 -er 2 smaller 3 -est 4 smallest 5 the

Grammar vs. Grammar

1 faster 2 tallest

A 1 short / shorter / shortest 2 young / younger / youngest 3 deep / deeper / deepest 4 thick / thicker / thickest

B 1 warmer 2 smaller 3 longest 4 shorter 5 the coldest

C 1 older than, the oldest 2 longer than, the longest 3 deeper than, the deepest 4 thicker than, the thickest

Build-up Writing pp. 4~5

A 2 is older than Jane
3 is weaker than Mr. Brown
4 is longer than this yellow line
5 is thinner than the book
6 walks faster than Grandma
7 is colder than the milk
8 is lighter than the kitchen

B 2 is colder than Alaska, is the coldest
3 is shorter than my father, am the shortest
4 is lighter than Teddy, is the lightest
5 is cheaper than the blue flower, is the cheapest
6 faster than Steve, runs the fastest

02 비교급과 최상급 (규칙 변화) pp. 6~7

개념 빈칸 채우기

1 nicest 2 -est 3 earliest 4 끝 자음 5 fatter
6 most difficult 7 more easily

A 1 more slowly 2 bigger 3 busier 4 cuter
5 larger 6 earlier

B 1 drier / driest 2 later / latest 3 bigger / biggest
4 prettier / prettiest 5 hotter / hottest
6 more important / most important
7 luckier / luckiest
8 more handsome / most handsome

C 1 easier than 2 happier than 3 larger than
4 more quickly 5 most famous
6 more beautiful than

Build-up Writing pp. 8~9

A 2 gets up earlier than I
3 is more expensive than cheesecake
4 heavier than Jane
5 eats dinner later than I
6 more quickly than Jack
7 is hotter than the green tea
8 speaks more slowly than Peter

B 2 is the coldest month in Korea
3 is the most wonderful day to me
4 sang a song the most beautifully
5 the most expensive cake at the bakery
6 the most dangerous animals in the ocean
7 is the funniest boy in my class
8 is the largest country in Asia
9 is the thinnest student in your class

03 비교급과 최상급 (불규칙 변화) pp. 10~11

개념 빈칸 채우기

1 better 2 worst 3 less 4 most 5 farther
6 many 7 much

Grammar vs. Grammar

1 better 2 better

A 2 better 3 worst 4 better 5 less
6 most 7 more

B 1 farther 2 the least points 3 less milk
4 more dresses 5 the best

C 1 the worst 2 the best 3 more ice cream than
4 the best 5 the least food

Build-up Writing pp. 12~13

A 2 has more money than I
3 has the most cats
4 uses less butter than Jake
5 drinks less milk than Jenny
6 lives the farthest
7 was the worst
8 dances the best

B 2 less money than I
3 more juice than I
4 less vitamin than fruit
5 plays the game the best
6 has more shoes than I
7 ate more oranges than I
8 has less books than I

04 비교급+than / 최상급+of[in] pp. 14~15

개념 빈칸 채우기
1 than 2 than 3 of 4 in 5 of 6 in 7 복수형

A 1 in 2 of 3 larger 4 in 5 the longest
6 the oldest, in 7 in 8 lighter

B 2 the largest 3 longest, of 4 newer than
5 shortest, of 6 fastest, in

C 2 the oldest 3 the youngest 4 taller than
5 the tallest of

Build-up Writing pp. 16~17

A 1 easier than
2 is bigger than
3 the busiest city in the world
4 is the largest city in Korea
5 the saddest story of all the movies
6 the longest river in the world
7 is braver than I
8 the biggest bag in my class
9 the most important thing in my life

B 1 (2) is older than (3) is younger than
(4) is younger than (5) the youngest
2 (1) the shortest of the four (2) is shorter than
(3) is taller than (4) is taller than
(5) the tallest of the four
3 (1) the lightest of the four (2) is heavier than
(3) is heavier than (4) is lighter than
(5) the heaviest of the four

Review Test pp. 18~19

1 ④ 2 ④ 3 ③ 4 in 5 cheaper 6 ③
7 ① 8 ④ 9 ③ 10 ③ 11 ⑤ 12 I ordered the most expensive hamburger in that restaurant.
13 is the cheapest of the 14 is more expensive than 15 예시답안 My grandma is the oldest in my family.

1 far의 비교급과 최상급은 farther-farthest이다.
2 bad의 비교급과 최상급은 worse-worst이다.
3 나머지 빈칸에는 '~에서'라는 뜻을 갖는 in이 들어가지만, ③에는 '~ 중에서'라는 뜻을 갖는 of가 들어간다.
4 최상급 뒤에 '~에서'라는 뜻을 갖는 것은 in이다.
5 뒤에 than이 왔으므로 비교급 형태가 들어가야 한다.
6 뒤에 than이 있으므로 비교급 형태가 필요한데, well의 비교급은 better이다.
7 최상급 다음에서 '~ 중에서'라는 의미를 나타내야 하고, 뒤에 복수형이 왔으므로 of가 적절하다.
8 '~에서'라는 뜻을 갖는 것은 in이므로 of를 in으로 고쳐 써야 한다.
9 최상급 문장이 되어야 하므로 more를 most로 고쳐야 한다.
10 뒤에 than이 있으므로 모두 비교급 형태가 들어가야 하는데, slowly의 비교급은 more를 붙여 more slowly로 쓰고, little의 비교급은 less이다.
11 세 명 중에서 파이를 가장 많이 먹은 사람은 샘이다.
12 expensive의 최상급은 most expensive로 쓰고 앞에 the를 붙여야 한다.
13 셋 중에서 가장 싼 것은 carrot이며, 최상급은 -est를 붙여서 쓴다.
14 onion보다 더 비싼 것은 lemon이며 expensive의 비교급 more expensive로 쓴다.
15 집에서 가장 나이가 많은 사람이 누구인지 물었으므로, 최상급을 이용해서 답한다.

Unit 2 접속사

05 and, but, or의 의미와 쓰임 pp. 20~21

개념 빈칸 채우기

1 접속사 2 and 3 but 4 or

A 1 ② 2 ① 3 ② 4 ① 5 ② 6 ①

B 1 but 2 or 3 or 4 but 5 but

C 1 sing and dance 2 ate and drank
3 rainy and cold 4 Eggs and nuts
5 but smells bad
6 I walk fast, but my grandmother walks slowly.

Build-up Writing pp. 22~23

A 1 is small but hard
2 and I have to take care of the dog
3 studied hard, but (I) failed the test
4 eats ice cream or drinks juice
5 come here, or I will call him
6 likes baseball, but I don't like baseball
7 go to the airport in the morning or in the afternoon
8 took a shower, had dinner, and watched a movie

B 1 The box was large but light.
2 A hippo is very big and strong.
3 Sharks and octopuses are ocean animals.
4 Is that blue pencil case yours or his?
5 We're going to go there by bus or by subway.
6 Jenny was hungry, cold, and sleepy.
7 My sister can play the piano and the violin.
8 I get up at seven, but Ann gets up at six.

06 before와 after의 의미와 쓰임 pp. 24~25

개념 빈칸 채우기

1 ~ 전에 2 after 3 after 4 쉼표 5 명사

A 1 ① 2 ② 3 ① 4 ① 5 ② 6 ①

B 1 after 2 before 3 Before 4 after 5 before

C 1 After the bus stopped
2 before Kelly turned on the heater
3 after the game ended
4 After we come back home
5 Before the man opened the door

Build-up Writing pp. 26~27

A 2 Before Lin left
3 After I checked out a book at the library
4 Before the show started
5 before she had a meal
6 After my parents have dinner

B 2 Before the subway leaves, we should get on it.
3 Before the library opens, you can't check out books. / You can't check out books before the library opens.
4 Write it down before you forget it. / Before you forget it, write it down.
5 Before it gets cold, squirrels store food. / Squirrels store food before it gets cold.
6 After I wake up, I make my bed. / I make my bed after I wake up.
7 Before the movie started, we bought popcorn. / We bought popcorn before the movie started.
8 After I read the book, I lent it to Jane.

07 when과 because의 의미와 쓰임 pp. 28~29

개념 빈칸 채우기

1 ~할 때 2 when 3 이유 4 Because 5 언제

Grammar vs. Grammar

1 Because 2 Because of

A 1 because 2 When 3 because 4 when
5 because 6 when

B 1 Because → When 2 after → because
3 because of → because 4 Before → Because
5 because → when 6 when → because

C 1 when they find honey
2 Because Sam had a bad cold
3 when he was twelve
4 because the stairs are slippery
5 because they stayed up all night

Build-up Writing pp. 30~31

A 1 Because it is cool, I like fall. / I like fall because it is cool.
2 Because I walked all day, I was tired. / I was tired because I walked all day.
3 When he showed up, the children ran away. / The children ran away when he showed up.
4 When Sam called Riz, she was so happy.
5 When the storm came nearer, it blew hard. / It blew hard when the storm came nearer.
6 Because the bag is too heavy, I can't carry it.
7 When we took a walk at the park, it began to rain. / It began to rain when we took a walk at the park.
8 Because the question was difficult, I couldn't answer it.

B 2 When Jim woke up, it was 10 a.m. / It was 10 a.m. when Jim woke up.
3 Because my brother had a fever, he took medicine.
4 Because it was so windy, they went home early. / They went home early because it was so windy.
5 Because I left my wallet, I had to walk home. / I had to walk home because I left my wallet.
6 Because the computer is broken, I can't play a computer game. / I can't play a computer game because the computer is broken.
7 When I see a brand-new smartphone, I want to buy it.
8 Because Peter was so hungry, he ordered two hamburgers.

08 that의 의미와 쓰임 pp. 32~33

개념 빈칸 채우기
1 목적어 2 that 3 ~라고 4 that 5 that

A 1 think / think와 we 사이에 들어감.
2 believe / believe와 God 사이에 들어감.
3 hear / hear와 the 사이에 들어감.
4 was / was와 we 사이에 들어감.
5 hope / hope와 I 사이에 들어감.
6 says / says와 he 사이에 들어감.

B 1 ① 2 ① 3 ② 4 ② 5 ②

C 1 that the story is true
2 that Tom is honest
3 that her book was a best-seller
4 that James came from England
5 that he will come back safely
6 that we love each other

Build-up Writing pp. 34~35

A 1 that she lost her new bag
2 hear that time is money
3 promised that he did his best
4 know that I will leave tomorrow
5 remember that she met Sam the other day
6 know that the lizard's tail can grow back
7 hope that he gets along with his new friends
8 forgot that the shopping center wasn't open on Sunday

B 1 I heard that the man was a newcomer.
2 They don't know that she has a headache.
3 We believe that he will keep his promise.
4 I remember that she had long curly hair.
5 She says that she can speak three foreign languages.
6 They don't believe that he broke the window.
7 Everyone hopes that he will set a new record.
8 Did you know that Lin won a medal in the contest?

Review Test

pp. 36~37

1 but 2 before 3 Because 4 ② 5 ① 6 ① 7 ⑤ 8 ② 9 ① 10 that 11 and → but 12 that 13 Tom takes a shower before he does his homework. 14 After I bought some apples, I went to the library. / I went to the library after I bought some apples. 15 예시답안 I like dogs, cats, and birds.

1 뒤에 반대되는 내용이 왔으므로 but이 들어가야 한다.

2 어떤 일의 전에 일어난 일을 나타내므로 before가 들어가야 한다.

3 이유를 나타내는 문장이 되어야 하므로 Because가 들어가야 한다.

4 첫 번째 빈칸에는 '~후에'라는 뜻을 갖는 접속사가, 두 번째 빈칸에는 때를 나타내는 접속사가 들어가야 한다.

5 두 문장 모두 대등한 내용이 연결되어 있으므로 내용상 첫 번째 빈칸에는 '또는'이라는 뜻의 or가, 두 번째 빈칸에는 '그리고'라는 뜻의 and가 들어가야 한다.

6 나머지는 때를 나타내는 접속사로 쓰였지만, ①은 '언제'라는 뜻의 의문사로 쓰였다.

7 원인과 결과로 이어지고 있으므로 Before 대신에 Because가 들어가야 한다

8 knew의 목적어를 이끄는 접속사는 that이다.

9 목적어를 이끄는 접속사 that은 생략할 수 있다.

10 첫 번째 빈칸에는 know의 목적어를 이끄는 접속사가 들어가야 하고, 두 번째 빈칸에는 is의 보어를 이끄는 접속사가 들어가야 하므로 공통으로 들어갈 수 있는 것은 that이다.

11 앞 문장과 뒷 문장이 서로 대비되는 내용이 왔으므로 and 대신에 but을 써야 한다.

12 think의 목적어를 이끄는 접속사는 that이다.

13 8시에 샤워를 하고 9시에 숙제를 하므로 after가 아니라 before를 써야 한다.

14 일의 순서가 사과를 사고 도서관에 가는 것이므로 접속사 after를 써서 표현한다. 접속사가 이끄는 문장이 앞에 올 경우는 문장의 끝에 쉼표(,)를 써야 한다.

15 like를 이용하여 자신이 좋아하는 것을 말할 수 있고, 좋아하는 것이 여러 개일 때는 and를 이용하여 나열한다.

Unit 3 to부정사

09 to부정사의 형태와 쓰임

pp. 38~39

개념 빈칸 채우기

1 to 2 동사원형 3 주어 4 보어 5 To make 6 to help

A 1 To study 2 to fix 3 To watch 4 to collect 5 To drink 6 to design 7 To finish 8 to become

B 1 to catch / 잡는 것이다
2 To draw / 만화를 그리는 것은
3 to go / 가는 것이다 4 To take / 사진을 찍는 것은
5 To cut / 머리카락을 자르는 것은

C 1 to write 2 To fish 3 to help 4 To climb 5 to win

Build-up Writing

pp. 40~41

A 2 To swim is good for your health.
3 To become an artist is my dream.
4 Their plan is to go skating in winter.
5 The farmer's work is to grow oranges.
6 To drive a school bus is her job.
7 To send an e-mail to him is important.
8 To go to the amusement park is exciting.
9 Is your son's hobby to play online games?

B 1 to read a book
2 To chat online with friends
3 to make cars
4 To go on a picnic on weekends
5 to get up late
6 To meet the fastest man
7 To use a computer
8 to take pictures
9 To listen to the story

10 목적어로 쓰이는 to부정사 pp. 42~43

개념 빈칸 채우기

1 ~하는 것(을) 2 목적어 3 to learn 4 to be
5 to dance

A 1 to buy / 목적어 2 To make / 주어
3 to treat / 보어 4 to get up / 목적어
5 to be / 보어 6 To take care of / 주어
7 to meet / 목적어 8 to write / 보어

B 1 to be 2 to go 3 to have 4 to read

C 1 to see koalas 2 to play the guitar
3 to paint the doghouse 4 to eat some popcorn

Build-up Writing pp. 44~45

A 1 I want to drink more orange juice.
2 Mark hopes to visit his uncle again.
3 They plan to go on a picnic.
4 He learned to play the violin.

B 1 hope to meet them
2 wants to wash her hands
3 plan to eat ham sandwiches
4 wanted to go to the U.S.

C 1 hope to go
2 learn to study
3 wants to go skiing
4 hope to study
5 need to recycle
6 planned to go
7 need to clean
8 want to become
9 learn to use

11 부사적 용법의 to부정사 pp. 46~47

개념 빈칸 채우기

1 ~하기 위해 2 to pass 3 ~해서, ~하게 되어
4 to hear 5 형용사

A 1 The students go to school to study history.
2 Some people went to the forest to take a walk.
3 We go to a nice restaurant to have dinner.
4 Alice goes to the airport to take the plane.
5 Jack went to the bakery to buy some bread.
6 Sally got up early to catch the first train.
7 I bought some vegetables to make a salad.
8 Bill turned on the radio to listen to music.

B 1 to ride / 타서 2 to swim / 수영하기 위해
3 to go / 가서 4 to wash / 씻기 위해

C 1 to fail 2 to play 3 to send 4 to see
5 to lose

Build-up Writing pp. 48~49

A 1 We were glad to be home again.
2 They go to the sea to swim.
3 The girl was sad to stay at the hospital on Children's Day.
4 The old man was happy to find his cat.
5 We go to the cafeteria to eat lunch.
6 Jessica was angry to miss the last subway.
7 They are excited to have a New Year's party.
8 My father turns on the light to read the newspaper.
9 My son went to the library to check out a book.

B 1 feel lonely to be alone
2 are happy to hear
3 is sad to leave
4 went to the supermarket to buy
5 am happy to take
6 sat on the bench to rest
7 go to the mountain to see
8 were surprised to meet
9 went to Beijing to study

12 형용사적 용법의 to부정사 pp. 50~51

개념 빈칸 채우기

1 명사 2 ~하는, ~할 3 to read 4 먹을

A 1 food to eat 2 clothes to wear
3 cold juice to drink 4 two friends to meet
5 the bus to take 6 comic books to read
7 grocery to order 8 plastic bottles to recycle

B 1 a lot of work to do 2 some snacks to eat
3 the shirts to wash 4 the book to read
5 new shoes to wear

C 2 the socks to wash 3 the bananas to eat
4 the dress to wear 5 the trees to plant

Build-up Writing
pp. 52~53

A 1 We bought ten apples to eat.
2 Do you have a pan to fry chicken?
3 This is the knife to cut onions.
4 These are the gloves to wear when I feel cold.

B 1 I have more windows to clean
2 bought some books to read
3 need potatoes to cook
4 are the dishes to wash

C 1 a bigger box to keep
2 an e-mail to read
3 the coat to wear
4 a blanket to wash
5 a lot of bread to eat
6 some water to drink
7 homework to finish
8 glass bottles to recycle
9 an old bag to throw away

Review Test
pp. 54~55

1 ⑤ 2 ② 3 ③ 4 ④ 5 to win 6 anything to eat 7 ⑤ 8 ③ 9 ⑤ 10 ⑤ 11 ①
12 Many students learn to speak in English.
13 We stopped for something to eat. 14 David hopes to take a picture with them. 15 예시답안 I want to eat some spaghetti (for dinner).

1 문장의 주어나 보어 자리에 오기 위해서는 to부정사의 형태가 되어야 한다.

2 동사가 앞의 명사나 대명사를 꾸며 주기 위해서는 to부정사의 형태가 되어야 한다.

3 plan은 to부정사를 목적어로 가지는 동사이다.

4 나머지 빈칸에는 동사의 목적어가 되는 to부정사의 형태(to go)가 들어가지만, ④는 일반동사의 부정문이므로 go가 들어가야 한다.

5 hope는 to부정사를 목적어로 가지는 동사이므로 to win이 알맞다.

6 to부정사는 형용사처럼 앞에 있는 대명사 anything을 수식한다.

7 첫 번째 빈칸에는 문장의 주어가 필요하므로 to부정사가 와야 한다. 두 번째 빈칸에는 plan의 목적어가 필요하므로 to부정사가 와야 한다.

8 need, learn은 모두 to부정사를 목적어로 가지는 동사이다.

9 첫 번째 빈칸에는 want의 목적어가 필요한데, '경찰관이 되기를'이라는 뜻이 알맞으므로 to become이 들어가야 한다. 두 번째 빈칸에는 '~하기 위해'라는 '목적'을 의미하는 말이 필요한데, '나쁜 사람들을 잡기 위해'라는 뜻이 알맞으므로 to catch가 들어가야 한다.

10 ⑤는 to부정사의 부사적 용법 중 '~하기 위해'의 목적을 나타내고, 나머지는 '~해서'의 원인을 나타낸다

11 ①은 to부정사의 부사적 용법 중 '~해서'의 원인을 나타내고, 나머지는 '~하기 위해'의 목적을 나타낸다.

12 learn은 to부정사를 목적어로 가지는 동사이므로 learn to speak을 이용하여 문장을 완성한다. / in English 영어로

13 대명사 something을 수식하는 말로 뒤에 to eat이 와야 함에 유의하여 문장을 완성한다.

14 hope는 to부정사를 목적어로 가지는 동사이므로 hopes to take를 이용하여 문장을 완성한다.

15 want 다음에 to부정사를 써서 자신이 저녁으로 먹고 싶은 음식을 넣어 표현한다.

Unit 4 동명사

13 동명사의 형태와 쓰임
pp. 56~57

개념 빈칸 채우기

1 동사원형 2 -ing 3 ~하기(는), ~하는 것(은) 4 Climbing 5 보어 6 읽는 것이다 7 taking

A 1 teaching 2 studying 3 Writing 4 buying
5 Going 6 Drinking 7 going 8 Meeting

B 1 traveling 2 Singing 3 Sleeping 4 teaching
5 planting

C 1 becoming 2 Playing 3 making 4 Cooking
5 cleaning

Build-up Writing pp. 58~59

A 1 His hobby is going hiking
2 Reading fairy tales is very interesting.
3 My dream is becoming a doctor.
4 Flying a kite is fun.
5 Reading English is easier than writing.
6 Their goal is traveling to Spain in summer.
7 Running in the morning is good for health.
8 When my dad was young, his dream was flying in the sky.

B 1 His job is building houses.
2 Our plan is going to the market.
3 My goal is joining the soccer club.
4 Is meeting new people interesting?
5 Playing with my little brother is fun.
6 Drinking tea after lunch is his habit.
7 Taking a taxi is faster than taking a bus.
8 Eating too much candy isn't good for your teeth.

14 목적어로 쓰인 동명사 pp. 60~61

개념 빈칸 채우기
1 ~하기(를), ~하는 것(을) 2 playing 3 to부정사
4 Learning

A 1 Reading / 주어 2 Running / 주어
3 finishing / 보어 4 writing / 목적어
5 Dancing / 주어 6 jumping / 목적어
7 singing / 목적어 8 losing / 보어

B 1 driving 2 playing 3 watching 4 reading

C 1 playing with my cat 2 taking pictures
3 buying a sports car 4 Becoming a singer

Build-up Writing pp. 62~63

A 1 I enjoy collecting comic books.
2 Her job is cutting people's hair.
3 Selling fruits is their work.
4 They keep walking to the lake.
5 Their plan is taking yoga classes on Sundays.
6 Eating too much fast food is bad.
7 Is your job baking bread?
8 He finished reading an e-mail from his uncle.
9 Drinking enough water is important.

B 1 Using the Internet
2 enjoys drawing pictures
3 keeps drinking water
4 Exercising is good
5 finished cleaning the table
6 is going to the island
7 Seeing the sunrise was
8 Watching the music video was
9 is biting his nails

15 동명사 / to부정사를 목적어로 갖는 동사 pp. 64~65

개념 빈칸 채우기
1 playing 2 hope 3 plan 4 to paint 5 like
6 start 7 running

A 1 to play 2 speaking 3 to cook, cooking
4 running 5 listening, to listen 6 to be
7 to travel 8 watching, to watch

B 1 to buy / 사기를 2 playing / 노는 것을
3 to use / 사용할 4 knocking / 두드린다
5 to go / 갈

C 1 to dry 2 to swim[swimming] 3 to play
4 brushing 5 reading 6 going

Build-up Writing pp. 66~67

A 1 She hopes to study science.
2 Josh practices throwing a ball on the playground.
3 Some people want to help other people.
4 They enjoy taking pictures at the park.

B 1 Do you like cooking?
2 He needs to water the plants.
3 She kept reading the novel all day long.
4 I finished painting the door before I had lunch. / Before I had lunch, I finished painting the door.

C 1 start planting[to plant]
2 kept dancing
3 need to study
4 want to go camping
5 learn to drive
6 love watching[to watch]
7 practices playing
8 plan to go skating
9 enjoyed playing

Review Test pp. 68~69

1 ① 2 ① 3 Reading, drawing 4 baking, baking 5 ③ 6 ④ 7 ③ 8 ④ 9 ① 10 ④ 11 using[to use], finishing 12 The girl keeps playing the cello. 13 We practice singing and dancing every day. 14 Kevin finished cleaning his room. 15 예시답안 I enjoy watching movies with my family (on weekends).

1 문장의 주어 자리에는 동명사나 to부정사가 온다.
(→ Singing[To sing])

2 문장의 보어 자리에는 동명사나 to부정사가 온다.
(→ staying[to stay])

3 문장의 주어 자리이므로 동명사인 Reading이 알맞다. love의 목적어 자리이므로 동명사 drawing이 알맞다

4 enjoy와 practice는 둘 다 동명사를 목적어로 가지는 동사이므로 모두 baking이 알맞다.

5 문장의 주어 자리에는 동명사나 to부정사가 오므로 Wearing 또는 To Wear가 알맞다.

6 finish는 동명사를 목적어로 가지는 동사이므로 washing이 알맞다.

7 need는 to부정사를 목적어로 가지는 동사이다. (using → to use)

8 enjoy는 동명사를 목적어로 가지는 동사이므로 studying이 알맞고, 나머지는 to부정사를 목적어로 가지는 동사이므로 to study가 알맞다.

9 like는 동명사와 to부정사를 둘 다 목적어로 가지는 동사이다. 그림은 James가 친구를 만나는 모습이므로 meeting his friends가 알맞다.

10 ④는 동사 love의 목적어로 쓰였고, 나머지는 문장의 보어로 쓰였다.

11 like는 동명사와 to부정사를 모두 목적어로 가지는 동사이고, give up은 동명사를 목적어로 가지는 동사이다.

12 keep은 동명사를 목적어로 가지는 동사이므로 keeps playing을 이용하여 '그 소녀는 첼로를 계속 연주한다.'의 뜻이 되도록 문장을 완성한다.

13 practice는 동명사를 목적어로 가지는 동사이므로 practice singing and dancing을 이용하여 '우리는 매일 노래 부르기와 춤추기를 연습한다.'의 뜻이 되도록 문장을 완성한다.

14 finish는 동명사를 목적어로 가지는 동사이므로 clean을 동명사 cleaning으로 바꾸어 문장을 완성한다.

15 enjoy는 동명사를 목적어로 가지는 동사이므로 동명사를 이용해 자신이 주말에 즐겨 하는 일을 표현한다.

Unit 5 여러 가지 동사

16 2형식 감각동사 pp. 70~71

개념 빈칸 채우기

1 감각동사 2 looks 3 smell 4 taste 5 형용사 6 sad 7 행복하게 느낀다

A 1 feel / cold 2 tastes / sour
3 looks / tired and hungry 4 smelled / bad
5 looks / warm and soft
6 sounds / a little strange
7 felt / very happy and exciting

B 1 tasted 2 sounded 3 feel 4 looks, smells

C 1 sourly → sour 2 darkly → dark
3 sweetly → sweet 4 healthily → healthy
5 wonderfully → wonderful

Build-up Writing pp. 72~73

A 1 This carrot tastes terrible.
2 This chimpanzee looks smart.
3 This cloth feels soft and smooth.
4 This curry tastes sweet and good.
5 Why does your voice sound sad to me?

6 are clean and dry, they will smell good
7 entered the room, she felt cold and wet
8 the dish looked delicious, but tasted salty

B 1 Sea water tastes salty.
2 The children's song sounds cheerful.
3 This river looks deep, and that mountain looks high.
4 The cheese pizza smelled funny and terrible.
5 Her words feel simple and easy.
6 The flowers look beautiful and smell sweet.
7 These oranges taste sour and a little bitter.
8 everything looks clean and white

17 4형식 수여동사 pp. 74~75

개념 빈칸 채우기

1 send 2 teach 3 간접목적어 4 직접목적어 5 you 6 to 7 her 8 ask

A 1 me the truth 2 us stars
3 an old sock to me 4 them history
5 a nice jacket for me 6 Tom the ball
7 her mom a question

B 1 the cookies / 헨리에게 그 쿠키들을
2 her diary / 마틴에게 그녀의 일기장을
3 math / 학생들에게 수학을
4 a birthday card / 그에게 생일 카드를
5 food / 그녀의 새끼들에게 먹이를

C 1 you some pocket money
2 me thank-you 3 your room to me
4 many questions of her 5 us spaghetti

Build-up Writing pp. 76~77

A 2 told Jack her secret / told her secret to Jack
3 bought my dad a new shirt / bought a new shirt for my dad
4 teaches them music / teaches music to them
5 John many questions / many questions of John
6 us a message / a message to us
7 my sister a sandcastle / a sandcastle for my sister

B 1 Can you tell me funny stories?
2 The cook brought us the steak.
3 Sally gave a birthday gift to her son.
4 They didn't ask me any questions.
5 Can you pass the map to me?
6 Lucy taught her students art.
7 The children bought flowers for their mom.
8 Chris didn't tell the news to his family.

18 5형식 동사 pp. 78~79

개념 빈칸 채우기

1 5형식 2 name 3 형용사 4 목적격보어 5 4형식 6 5형식

A 1 me Pretty 2 her son a doctor
3 the man handsome 4 the door green
5 his bed larger 6 the living room warm

B 1 blue 2 tired 3 clean 4 a dancer 5 smart
6 Sweety 7 open

C 1 물을 뜨겁게 2 나를 천재라고
3 그의 개를 화이트라고 4 그녀의 의자를 은색으로
5 김 선생님을 친절하고 정직하다고

Build-up Writing pp. 80~81

A 1 keeps his knife sharp
2 make your parents happy
3 keep our teeth clean
4 makes his fans excited
5 eat this food hot
6 keep the window open
7 thinks him famous

8 call me Mango
9 painted the doghouse light green
10 think this board game interesting

B 1 named the place Secret Garden
2 will keep you warm
3 don't think his story true
4 keeps us healthy
5 made him a great dentist
6 painted〔colored〕 the wall brown
7 made us worried and nervous
8 call my pet Cheese
9 thought the puzzle difficult
10 don't think me a kid

Review Test

pp. 82~83

1 safe 2 sick 3 you more stories 4 ① 5 ② 6 ① 7 ⑤ 8 ③ 9 ① 10 ④ 11 terribly → terrible 12 tastes 13 keep us safe from the light 14 words made us very angry 15 예시답안 I feel hungry after school.

1 keep은 5형식 동사로 목적어를 설명하는 형용사가 필요하다.

2 look은 2형식 동사로 해석상으로 부사(~하게)가 올 것 같지만 형용사가 와야 한다.

3 tell은 목적어를 두 개 갖는 4형식 동사로 '~에게'에 해당하는 간접목적어가 먼저 온 다음, '…을'에 해당하는 직접목적어가 온다.

4 빈칸 모두에 목적어를 설명하는 목적격보어로 형용사가 들어가야 한다.

5 내용상 첫 번째 빈칸에는 맛을 나타내는 감각동사 taste가, 두 번째 빈칸에는 보어로 형용사가 들어가야 한다.

6 나머지는 5형식 동사로 쓰였지만, ①은 3형식 동사로 쓰였다.

7 뒤에 두 개의 목적어가 왔으므로 4형식 동사가 들어가야 한다. sound는 2형식 동사이다.

8 뒤에 delicious라는 동사를 보충해 주는 말이 왔으므로 목적어가 필요한 like는 들어갈 수 없다

9 2형식 감각동사 taste 다음에는 형용사가 와야 한다. (salt → salty)

10 tell은 목적어를 두 개 갖는 동사로 '~에게'에 해당하는 목적어가 먼저 온 다음, '…을'에 해당하는 목적어가 와야 하므로 tell us the news로 쓰거나 to를 이용하여 tell the news to us로 써야 한다.

11 sound는 뒤에 부사가 아니라 형용사가 와야 한다.

12 맛을 보는 상황의 그림이므로 tastes가 들어가야 한다.

13 keep 다음에 목적어를 쓰고 그다음에 목적격보어를 쓴다.

14 made 다음에 목적어 us를 쓰고 뒤에 목적격보어 very angry를 써 준다.

15 〈feel + 형용사〉 표현을 이용해서 자신의 감정이나 상태를 나타낼 수 있다.

Unit 6 문장의 종류

19 명령문

pp. 84~85

개념 빈칸 채우기

1 동사원형 2 Be 3 Don't 4 Don't 5 Never

A 1 평서문 2 명령문 3 평서문 4 명령문 5 명령문
6 명령문 7 평서문 8 명령문

B 1 Go 2 Stand 3 Don't touch 4 Don't spend
5 your 6 Never talk 7 Be

C 1 Wake 2 Wear 3 Don't touch 4 don't get
5 Be 6 Don't forget 7 Cross

Build-up Writing

pp. 86~87

A 2 Don't waste money.
3 Don't be late for school again.
4 Tell me the truth.
5 Don't be afraid of cats.
6 Look at the night sky.
7 Run away quickly.
8 Don't throw away the trash on the street.
9 Take a short rest.

B 1 Brush your teeth three times a day.
2 Listen to your teacher carefully.
3 Don't worry about Jane.
4 Don't swim in this river.
5 Drink a lot of water every day.
6 Have breakfast every morning.
7 Don't call your friend late at night.
8 Never sing songs loudly at night.
9 Don't use your cell phone in class.

20 제안문 pp. 88~89

개념 빈칸 채우기
1 Let's 2 Let's 3 만나자 4 Let's not 5 먹지 말자

A 1 Let's 2 Let's 3 Let's not 4 Let's not
5 Let's 6 Let's 7 Let's not 8 Let's

B 1 study 2 buy 3 go 4 keep 5 leave

C 1 Let's meet at the bus stop at five.
2 Let's put on a thick coat.
3 Let's sing the song in a loud voice.
4 Let's not go out at night.
5 Let's not eat sweet cookies.
6 Let's not make fun of this little dog.

Build-up Writing pp. 90~91

A 1 Let's swim in the pool.
2 Let's not turn on the TV at night.
3 Let's not run in the hallway.
4 Let's make some pizza together.
5 Let's paint the wall green.
6 Let's not play soccer on rainy days.
7 Let's ride a bike at the park.
8 Let's fly a kite in the playground.
9 Let's not give bananas to that monkey.
10 Let's turn off our phones at the cinema.

B 1 Let's take a trip to Busan next month.
2 Let's not eat too much salty food.
3 Let's visit our aunt this Saturday.
4 Let's hold a party this Friday.
5 Let's go to the shopping mall this weekend.
6 Let's not throw a ball indoors.
7 Let's not run in the living room.
8 Let's not put the book there.
9 Let's cheer for them loudly.

21 감탄문 pp. 92~93

개념 빈칸 채우기
1 what 2 What 3 How 4 high 5 What 6 의문문

A 1 감탄문 2 평서문 3 감탄문 4 감탄문 5 평서문
6 감탄문 7 평서문 8 감탄문

B 1 How 2 What 3 How 4 What 5 How
6 What 7 What

C 1 What a beautiful song
2 How bitter
3 How fast
4 What a small jacket
5 What old books
6 How smart
7 What a nice man

Build-up Writing pp. 94~95

A 1 How beautiful *hanbok* is!
2 What an amazing story it is!
3 What funny comic books they read!
4 How late you came!
5 What a tall girl she is!
6 How famous the man is!
7 What nice photos he took!
8 How exciting the game is!
9 What a small kangaroo it is!

B 1 What a touching movie it is!
2 What a wonderful vacation we had!
3 How fast Steve eats!
4 How colorful the room is!
5 What brave heroes they are!
6 How slowly the iguana moves!
7 What a dangerous animal a tiger is!
8 What a careful person she is!
9 How quickly cheetahs run!

22 부가의문문 pp. 96~97

개념 빈칸 채우기
1 부정 2 긍정 3 인칭대명사 4 can't they
5 do, does, did 6 will you 7 shall we

A 1 didn't 2 does 3 can't 4 didn't
5 will 6 shall

B 1 he 2 we 3 she 4 they 5 they 6 he
7 will you 8 shall we

C 1 were / weren't they 2 don't have to / do we
3 didn't / did she 4 got / didn't you
5 will / won't we 6 Don't / will you
7 is / isn't he 8 can / can't she

Build-up Writing pp. 98~99

A 2 He wants to be a police officer, doesn't he?
3 Sue can't swim, can she?
4 Tim doesn't like sweet potatoes, does he?
5 Let's take care of this little bird, shall we?
6 Do your best, will you?
7 Don't run indoors, will you?
8 Let's not throw away the trash, shall we?
9 You can't speak Japanese, can you?

B 1 You have to get up early, don't you?
2 Kate doesn't come from Canada, does she?
3 You didn't eat breakfast, did you?
4 Tim doesn't like Italian food, does he?
5 Molly can't speak Korean, can she?
6 Don't waste your time, will you?
7 Take your time, will you?
8 The young people were dancing, weren't they?
9 Let's take some photos of the kangaroo, shall we?

Review Test pp. 100~101

1 ② 2 What 3 will you 4 didn't he 5 ① 6 ③
7 ④ 8 ③ 9 ② 10 ② 11 won't → will
12 Wear a helmet when you ride a bike. 13 What a colorful umbrella it is! 14 Turn down the music, will you? 15 예시답안 Let's go to the library after school.

1 첫 번째 빈칸에는 '무엇'에 해당하는 의문사가 와야 하고, 두 번째 빈칸에는 뒤에 형용사와 명사가 왔으므로 What 감탄문이 되어야 하므로 공통으로 알맞은 것은 What이다.
2 뒤에 형용사와 명사가 왔으므로 What을 이용한 감탄문이 알맞다.
3 명령문의 부가의문문은 부정이나 긍정에 상관없이 항상 will you를 쓴다.
4 긍정의 일반동사의 과거형이 쓰였으므로 didn't를 이용하여 부정의 부가의문문을 만든다.
5 명령문이 되어야 하므로 동사원형이 들어가야 한다. please가 붙으면 공손한 표현이 된다.
6 제안하는 문장의 부가의문문은 shall we를 쓴다.
7 나머지 빈칸에는 will you가 들어가지만, ④에는 won't you가 들어가야 한다.
8 부정 명령문은 Don't 다음에 동사원형을 써야 한다. (runs → run)
9 Let's 다음에는 동사원형을 써야 한다. (buys → buy)
10 be동사의 과거형이 쓰인 긍정의 문장이므로, was를 이용한 부정의 부가의문문이 되어야 한다. (→ wasn't she)
11 명령문의 부가의문문은 will you를 쓴다.
12 명령문은 주어를 생략하고 동사원형으로 시작한다.
13 What 다음에 a를 쓰고, 뒤이어 형용사와 명사를 쓴다.
14 명령문은 동사원형으로 시작하고, 부가의문문은 will you를 쓴다.
15 let's를 이용하여 상대방에게 제안하는 말을 할 수 있다.

Memo
A
B
C

I See **Grammar** 보는 문법 개념 & 풍부한 문제 풀이로 이해

대표전화 1544-0554
주소 서울특별시 구로구 디지털로33길 48 대륭포스트타워 7차 20층

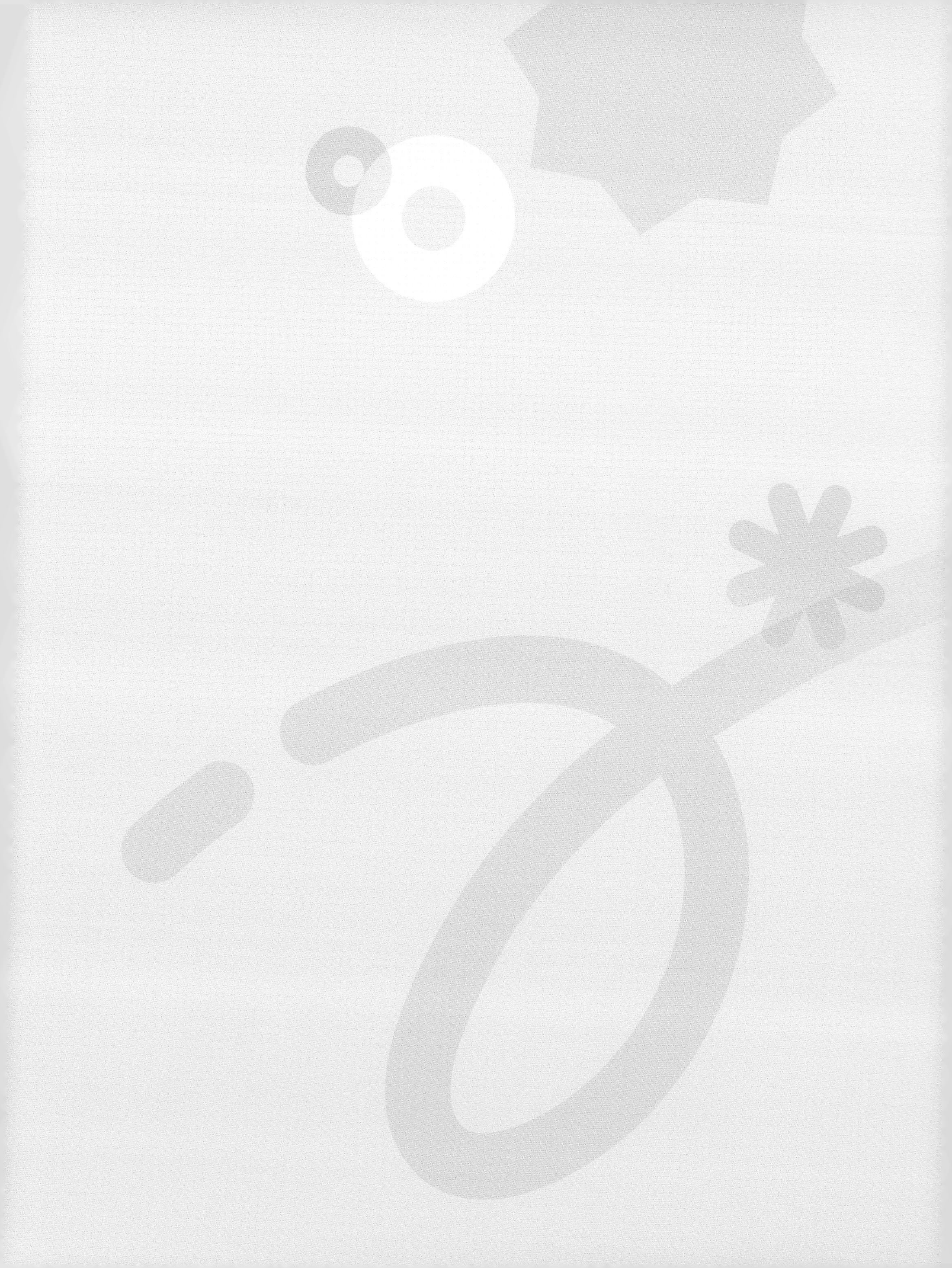

Practice Book

| 숙제용 **문제풀이책** |

QR코드

- 개념 정리(PDF)
- 원어민 음원 듣기(MP3)

책 속의 가접 별책 (특허 제 0557442호)
'Practice Book'은 본책에서 쉽게 분리할 수 있도록 제작되었으므로 유통 과정에서 분리될 수 있으나 파본이 아닌 정상제품입니다.

ABOVE IMAGINATION

우리는 남다른 상상과 혁신으로
교육 문화의 새로운 전형을 만들어
모든 이의 행복한 경험과 성장에 기여한다

Contents

Practice Book은 **문법 당 4쪽**씩 구성되어, 개념 복습, 기초 드릴, 심화 쓰기까지 단계별로 복습할 수 있어요.

01 비교급과 최상급의 의미와 쓰임

Grammar Book • Unit 1 p. 10을 확인해 보세요.

아래 빈칸을 채우면서 개념을 다시 한 번 익혀 보세요.

▶ 비교급은 형용사나 부사에 ❶ ________ 을 붙여서 만들어요.

❷ ________ 더 작은

▶ 최상급은 형용사나 부사에 ❸ ________ 를 붙여서 만들어요.

❹ ________ 가장 작은

Plus Tip 최상급이 비교하는 대상과 함께 쓰일 때는 그 앞에 ❺ ________ 를 함께 써요.

Grammar vs. Grammar

두 개의 대상을 비교할 때는 비교급을 쓰고, 셋 이상을 비교할 때는 최상급을 써요.

Tom is six years old. 톰은 6살이다. Sam is ten years old. 샘은 10살이다.

→ Sam is older than Tom. 샘은 톰보다 나이가 더 많다.

● 알맞은 형태를 찾아 쓰세요.

fast	faster
taller	tallest

1 Jack runs ________ than Jim.

2 Peter is the ________ boy of the three.

Plus+ 골라 쓰기

A 다음에서 원급과 비교급, 최상급을 찾아 해당하는 곳에 쓰세요.

shorter young deeper thick thickest short
shortest deep younger thicker youngest deepest

	원급	비교급	최상급
1	________	________	________
2	________	________	________
3	________	________	________
4	________	________	________

young 어린
deep 깊은

Plus+
고르기

B 다음 괄호 안에서 알맞은 말을 고르세요.

1 This coat is (warmer / warmest) than that jacket.

2 This cat is (smaller / smallest) than that cat.

3 The Nile is the (longer / longest) river.

4 Sally has (shorter / shortest) hair than Jim.

5 Our country has four seasons. Winter is (coldest / the coldest) season.

warm 따뜻한
river 강
country 나라
season 계절

Level UP!
그림 보고 빈칸 채우기

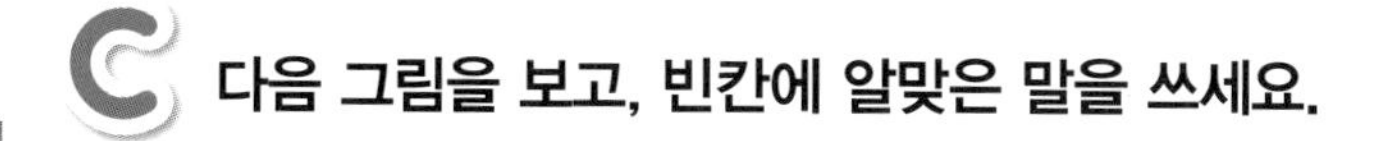

C 다음 그림을 보고, 빈칸에 알맞은 말을 쓰세요.

1

Tom is old.
Jenny is ________ ________ Tom.
Kevin is ________ ________.

2

Mike will wait long.
Jin will wait ________ ________ Mike.
Sam will wait ________ ________.

3

The ant digs deep.
The dog digs ________ ________ the ant.
The boy digs ________ ________.

4

The magazine is thick.
The novel is ________ ________ the magazine.
The dictionary is ________ ________.

wait 기다리다
long 길게
ant 개미
dig 파다
deep 깊이
magazine 잡지
novel 소설책
dictionary 사전

Build-up Writing

주어진 말 이용하여 문장 완성하기

A 다음 두 문장이 같도록 주어진 말을 이용하여 문장을 완성하세요.

1 Tom is taller than Bill.
= Bill is shorter than Tom ______. (short)

2 Jane is younger than Micky.
= Micky ______. (old)

3 Mr. Brown is stronger than Mr. Smith.
= Mr. Smith ______. (weak)

4 This yellow line is shorter than that blue line.
= That blue line ______. (long)

5 The book is thicker than that notebook.
= That notebook ______. (thin)

6 Grandma walks slower than Grandpa.
= Grandpa ______. (fast)

7 The milk is warmer than the water.
= The water ______. (cold)

8 The kitchen is darker than the living room.
= The living room ______. (light)

weak 약한
line 선
thin 얇은
walk 걷다
cold 차가운
dark 어두운
light 밝은; 가벼운

정답 ● p. 11

주어진 말 이용하여 문장 바꿔 쓰기

B 다음 주어진 말을 이용하여 문장을 바꿔 쓰세요.

1 Tina is seven years old. Kate is ten years old. Paul is thirteen years old.

→ Kate ___is older than Tina___. (old)

→ Paul ___is the oldest___. (old)

2 It is -5°C in Russia. It is -3°C in Canada. It is 0°C in Alaska.

→ Canada ______________________. (cold)

→ Russia ______________________. (cold)

3 I am 150 cm. My sister is 160 cm. My father is 175 cm.

→ My sister ______________________. (short)

→ I ______________________. (short)

4 Jane weighs 30 kg. Paul weighs 35 kg. Teddy weighs 40 kg.

→ Paul ______________________. (light)

→ Jane ______________________. (light)

5 The yellow flower is $1. The red flower is $2. The blue flower is $3.

→ The red flower ______________________. (cheap)

→ The yellow flower ______________________. (cheap)

6 Sam runs 100 m in 20 seconds. Tommy runs 100 m in 18 seconds. Steve runs 100 m in 22 seconds.

→ Sam ______________________. (fast)

→ Tommy ______________________. (fast)

weigh 무게가 나가다
second 초

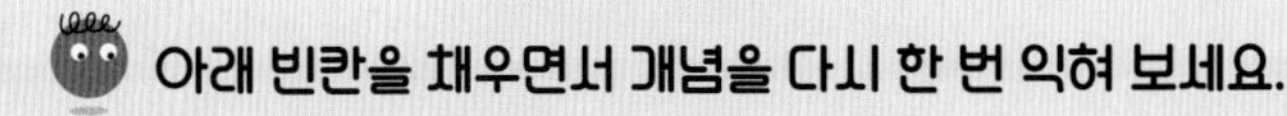

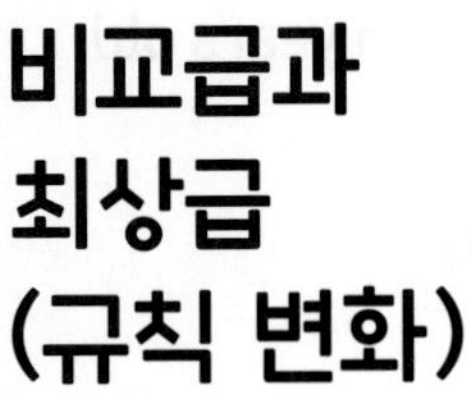

비교급과 최상급 (규칙 변화)

아래 빈칸을 채우면서 개념을 다시 한 번 익혀 보세요.

▶ 다음 4가지의 경우는 비교급과 최상급의 형태 변화에 주의해야 해요.

❶ -e로 끝나는 단어는 -r, -st를 붙여서 만들어요.
nice → nicer → ❶ ________

❷ 〈자음 + y〉로 끝나는 단어는 y를 i로 바꾼 후 -er, ❷ ________ 를 붙여요.
happy → happier → happiest
early → earlier → ❸ ________

❸ 〈짧은 모음 + 짧은 자음〉으로 끝나는 단어는 ❹ ________ 을 한 번 더 쓰고 -er, -est를 붙여요.
fat → ❺ ________ → fattest

❹ 긴 단어, -ly로 끝나는 단어는 앞에 more, most를 붙여요.
difficult → more difficult → ❻ ________
easily → ❼ ________ → most easily

Plus Tip 긴 단어란 모음이 3개 이상 있는 3음절 이상의 단어를 말해요.

Plus+ 고르기

A 다음 괄호 안에서 알맞은 말을 고르세요.

1 Can you speak (slowlier / more slowly)?

2 She has a (biger / bigger) bag than I.

3 I am (busyer / busier) than yesterday.

4 This dress is (cuteer / cuter) than that one.

5 I want a (larger / largeer) room.

6 You have to get up (earlier / earlyer).

speak 말하다
big 큰
room 방
have to ~해야 한다
get up 일어나다

정답 • p. 11

바꿔 쓰기

B 다음 형용사나 부사를 비교급과 최상급으로 바꿔 쓰세요.

1 dry → __________ → __________

2 late → __________ → __________

3 big → __________ → __________

4 pretty → __________ → __________

5 hot → __________ → __________

6 important → __________ → __________

7 lucky → __________ → __________

8 handsome → __________ → __________

dry 건조한
late 늦은
lucky 운이 좋은
handsome 잘생긴

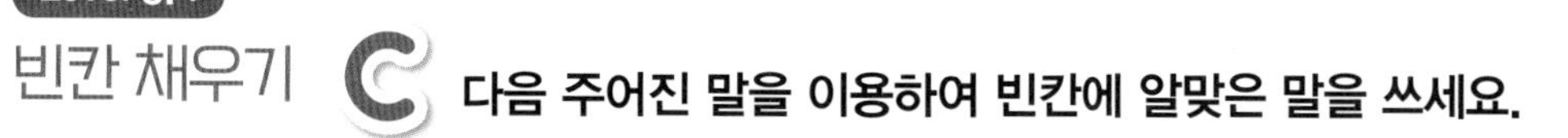

Level UP!

빈칸 채우기

C 다음 주어진 말을 이용하여 빈칸에 알맞은 말을 쓰세요.

1 This question is __________ __________ that one. (easy)

2 You look __________ __________ yesterday. (happy)

3 The bathroom is __________ __________ my room. (large)

4 You have to run __________ __________. (quickly)

5 His TV show is the __________ __________ one. (famous)

6 The red flower is __________ __________ __________ the yellow one. (beautiful)

question 질문
easy 쉬운
bathroom 욕실
TV show 텔레비전 쇼

Build-up Writing

주어진 말 이용하여 문장 완성하기

A 다음 주어진 말을 알맞은 형태로 바꿔 문장을 완성하세요.

1 My book has 100 pages. His book has 200 pages.
→ My book is thinner than his book. (thin)

2 I get up at seven. My mom gets up at six.
→ My mom ______________________. (early)

3 Cheesecake is $20. Chocolate cake is $30.
→ Chocolate cake ______________________. (expensive)

4 Jane weighs 40 kg. Peter weighs 50 kg.
→ Peter is ______________________. (heavy)

5 I eat dinner at six. My father eats dinner at seven.
→ My father ______________________. (late)

6 Mike finished first in the race. Jack finished second in the race.
→ Mike ran ______________________. (quickly)

7 The green tea is 90°C. The coffee is 95°C.
→ The coffee ______________________. (hot)

8 Jane speaks five words per second. Peter speaks ten words per second.
→ Jane ______________________. (slowly)

page 페이지
expensive 비싼
dinner 저녁 식사
first 첫 번째로
race 경주
second 두 번째로; 초
per ~당, ~마다

정답 ● p. 11

문장 배열하기

B 다음 우리말과 같도록 주어진 말을 바르게 배열하세요.

1 새끼 고양이들은 가장 귀여운 반려동물이다. (cutest pets, are, the)
→ Kittens ______are the cutest pets______.

2 1월은 한국에서 가장 추운 달이다. (coldest month, the, is, in Korea)
→ January ____________________.

3 오늘은 나에게 가장 멋진 날이다. (wonderful day, to me, the, most, is)
→ Today ____________________.

4 우리는 가장 아름답게 노래를 불렀다. (sang a song, the, beautifully, most)
→ We ____________________.

5 나는 제과점에서 가장 비싼 케이크를 샀다. (cake, at the bakery, expensive, most, the)
→ I bought ____________________.

6 상어는 바다에서 가장 위험한 동물이다. (most, in the ocean, dangerous animals, the)
→ Sharks are ____________________.

7 샘은 우리 반에서 가장 재미있는 소년이다. (funniest boy, in my class, the, is)
→ Sam ____________________.

8 중국은 아시아에서 가장 큰 나라이다. (is, largest country, the, in Asia)
→ China ____________________.

9 너희 반에서 가장 마른 학생은 누구니? (is, thinnest student, in your class, the)
→ Who ____________________?

kitten 새끼 고양이
January 1월
month 달
wonderful 멋진
beautifully 아름답게
bakery 제과점
shark 상어
dangerous 위험한
ocean 바다
Asia 아시아
China 중국
class 반

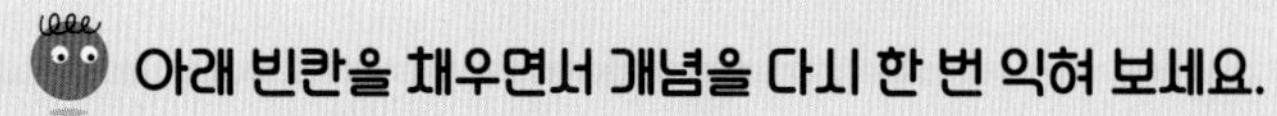

03 비교급과 최상급 (불규칙 변화)

아래 빈칸을 채우면서 개념을 다시 한 번 익혀 보세요.

▶ 다음 단어들은 비교급의 형태가 달라짐에 유의해야 해요.

원급	비교급	최상급
good / well	❶ ______	best
bad / ill	worse	❷ ______
little	❸ ______	least
many / much	more	❹ ______
far	❺ ______	farthest

Plus Tip ❻ ______ 는 셀 수 있는 명사의 복수형과 ❼ ______ 는 셀 수 없는 명사와 쓰여요.

Grammar vs. Grammar

well은 부사지만 비교급과 최상급의 형태는 형용사 good과 같아요.

He is a **good** singer. 그는 좋은 가수이다. (형용사)

He sings **well**. 그는 노래를 잘 부른다. (부사)

○ 주어진 말을 알맞은 형태로 고쳐 쓰세요.

1 He did the work ______ than me. (well)

2 She sings ______ than Peter. (well)

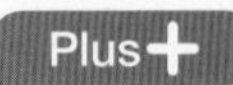

Plus+ 고쳐 쓰기 1

A 다음 밑줄 친 부분을 바르게 고쳐 쓰세요.

1 She has many books than I. → more

2 I feel good today than yesterday. → ______

3 Our team got the baddest score. → ______

4 Andy dances well than Jim. → ______

5 Peter has little soap than Amy. → ______

6 He has the much money of the five. → ______

7 Jason ate mucher bread than his sister. → ______

soap 비누
bread 빵

문제 듣기

정답 • p. 11

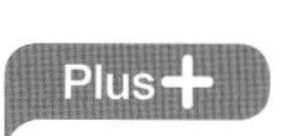

빈칸 채우기

B 다음 주어진 말을 이용하여 빈칸에 알맞은 말을 쓰세요.

1 Norman jumped ________ than Adam. (far)

2 Tom scored ________ ________ ________ of the three. (little, points)

3 Vicky drank ________ ________ than Willy. (little, milk)

4 Susan has ________ ________ than I. (many, dress)

5 Nick played the game ________ ________ of the three. (well)

jump 점프하다
score 득점하다
point 점수
play a game 게임을 하다

Level UP!

고쳐 쓰기 2

C 다음 우리말과 같도록 밑줄 친 부분을 고쳐 문장을 완성하세요.

1 The food was bad.
→ The food was ________ ________.
그 음식은 최악이었다.

2 Mr. Greg is a good office worker.
→ Mr. Greg is ________ ________ office worker.
그렉 씨는 최고의 회사원이다.

3 Jack bought much ice cream.
→ Jack bought ________ ________ ________ Amy.
잭은 에이미보다 더 많은 아이스크림을 샀다.

4 Kate dances well.
→ Kate dances ________ ________ of the three.
케이트는 세 명 중에서 춤을 가장 잘 춘다.

5 The ant had little food.
→ The ant had ________ ________ ________.
그 개미는 가장 적은 음식을 가지고 있었다.

office worker 회사원
buy 사다

Build-up Writing

주어진 말 이용하여 문장 완성하기 1

A 다음 주어진 단어를 알맞은 형태로 바꿔 문장을 완성하세요.

1 Tina ate three apples. Jane ate one apple.
→ Tina ate more apples than Jane. (many)

2 I have ten dollars. Kate has fifteen dollars.
→ Kate ______________________. (much money)

3 Sam has one cat. Susie has two cats. John has three cats.
→ John ______________________ of the three. (many)

4 Sally uses ten grams of butter. Jake uses twenty grams of butter.
→ Sally ______________________. (little)

5 Jenny drinks three cups of milk. Susan drinks one cup of milk.
→ Susan ______________________. (little)

6 Mary lives 2 miles away. Sally lives 5 miles away. Riz lives 10 miles away.
→ Riz ______________________ away of the three. (far)

7 It was clear on Monday. It was cloudy on Wednesday. It was rainy and windy on Friday.
→ The weather ______________________ on Friday. (bad)

8 Tony dances well. Peter dances better than Tony. Willy dances better than Peter.
→ Willy ______________________ of the three. (well)

away 떨어져
clear 맑은
cloudy 흐린
rainy 비가 오는
windy 바람 부는

정답 ● p. 12

주어진 말 이용하여 문장 완성하기 2

B 다음 우리말과 같도록 주어진 단어를 이용하여 문장을 완성하세요.

1 그는 우리나라에서 최고의 가수이다. (best, country, singer)
→ He is the best singer in my country.

2 나의 언니는 나보다 더 적은 돈을 가지고 있다. (less)
→ My sister has ______________________.

3 톰은 나보다 더 많은 주스를 마셨다. (much, drink)
→ Tom drank ______________________.

4 고기는 과일보다 더 적은 비타민을 가지고 있다. (less, vitamin, fruit)
→ Meat has ______________________.

5 우리 중에서 샘이 게임을 가장 잘한다. (best, play the game)
→ Sam ______________________ of us.

6 존은 나보다 더 많은 신발을 갖고 있다. (more, shoes)
→ John ______________________.

7 그는 나보다 오렌지를 더 많이 먹었다. (oranges, more, eat)
→ He ______________________.

8 수잔은 나보다 더 적은 책을 가지고 있다. (less)
→ Susan ______________________.

vitamin 비타민
fruit 과일
meat 고기
shoe 신발

Practice Book

Grammar Book • Unit 1 p. 16을 확인해 보세요.

04 비교급+than/최상급+of(in)

아래 빈칸을 채우면서 개념을 다시 한 번 익혀 보세요.

▶ 사람이나 사물을 다른 대상과 비교할 때는 비교급 다음에 ❶ ________ 을 써요.

My dad is older ❷ ________ my mom. 우리 아빠는 엄마보다 나이가 더 많다.

▶ 최상급 뒤에서 ❸ ________ 는 '~ 중에서'라는 뜻을, ❹ ________ 은 '~에서'라는 뜻을 나타내요.

Tim is the youngest ❺ ________ us. 팀은 우리들 중에서 가장 어리다.

Bill is the most popular student ❻ ________ his class.
빌은 그의 반에서 가장 인기 많은 학생이다.

Plus Tip in은 어떤 장소나 단체 안에서 최상을 나타내요. of는 여러 사람이나 사물 중에서 최상을 나타내며, 뒤에 주로 명사의 ❼ ________ 이나 숫자가 와요.

Plus+ 고르기

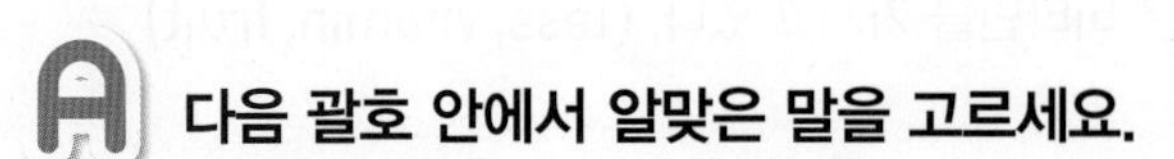

A 다음 괄호 안에서 알맞은 말을 고르세요.

1 Mt. Everest is the highest mountain (in / of) the world.

2 Sam runs the fastest (of / in) all the boys.

3 I need a (larger / largest) bag than this one.

4 Father is the tallest (of / in) my family.

5 Who has (longest / the longest) hair in your class?

6 The temple is (older / the oldest) building (in / of) Korea.

7 Which is the highest building (in / of) the world?

8 Sam's bicycle is (lighter / lightest) than Jack's.

mountain 산
need 필요로 하다
temple 절
world 세계

Plus+

빈칸 채우기

B 다음 우리말과 같도록 빈칸에 알맞은 말을 쓰세요.

1 Jenny has <u>longer</u> hair than Susie.
제니는 수지보다 머리가 더 길다.

2 Which country is ______ ______ in the world?
어느 나라가 세계에서 가장 크니?

3 A giraffe has the ______ legs ______ all animals.
기린은 모든 동물 중에서 가장 긴 다리를 갖고 있다.

4 Adam's jacket is ______ ______ mine.
아담의 재킷은 내 것보다 더 새것이다.

5 February is the ______ month ______ the year.
2월은 1년 중에서 가장 짧은 달이다.

6 Who is the ______ student ______ your school?
너희 학교에서 가장 빠른 학생은 누구니?

which 어느, 어떤
giraffe 기린
leg 다리
year 년

Level UP!

표 보고 빈칸 채우기

C 다음 표를 보고, 주어진 말을 이용하여 문장을 완성하세요.

Name	Age	Height
Susie	11세	140km
Jacky	13세	160cm
Naomi	14세	150cm

1 Jacky is <u>older</u> <u>than</u> Susie. (old)

2 Naomi is ______ ______ of the three. (old)

3 Susie is ______ ______ of the three. (young)

4 Jacky is ______ ______ Naomi. (tall)

5 Jacky is ______ ______ ______ the three. (tall)

height 키

Build-up Writing

주어진 말 이용하여 문장 완성하기

A 다음 우리말과 같도록 주어진 단어를 이용하여 문장을 완성하세요.

1 수학은 과학보다 더 쉽다. (easy)

→ Math is ______________________ science.

2 그의 물병은 내 것보다 더 크다. (big)

→ His water bottle ______________________ mine.

3 뉴욕은 세계에서 가장 바쁜 도시이다. (busy, world, city)

→ New York is ______________________.

4 서울은 한국에서 가장 큰 도시이다. (large, city)

→ Seoul ______________________.

5 이 영화는 모든 영화들 중에서 가장 슬픈 이야기를 담고 있다. (sad, movie, story)

→ This movie has ______________________.

6 나일강은 세계에서 가장 긴 강이다. (long, river)

→ The Nile is ______________________.

7 내 여동생이 나보다 더 용감하다. (brave)

→ My sister ______________________.

8 그녀는 우리 반에서 가장 큰 가방을 갖고 있다. (big, bag)

→ She has ______________________.

9 내 삶에서 정직이 가장 중요한 것이다. (important, my life, thing)

→ Honesty is ______________________.

math 수학
science 과학
water bottle 물병
brave 용감한
honesty 정직
thing 것

정답 • p. 12

표 보고 문장 완성하기

B 다음 표를 보고, 문장을 완성하세요.

Name	Age	Height	Weight
Sam	9세	130 cm	25 kg
Jessy	10세	135 cm	22 kg
Peter	11세	145 cm	37 kg
Alex	12세	140 cm	40 kg

1 Age (old & young을 활용하세요.)

(1) Alex is ___the oldest of the four___.

(2) Alex ______________ Peter.

(3) Peter ______________ Alex.

(4) Jessy ______________ Peter and Alex.

(5) Sam is ______________ of the four.

2 Height (tall & short를 활용하세요.)

(1) Sam is ______________.

(2) Alex ______________ Peter.

(3) Jessy ______________ Sam.

(4) Peter ______________ Alex.

(5) Peter is ______________.

3 Weight (heavy & light를 활용하세요.)

(1) Jessy is ______________.

(2) Sam ______________ Jessy.

(3) Peter ______________ Sam and Jessy.

(4) Peter ______________ Alex.

(5) Alex is ______________.

weight 몸무게

Unit 1

Review Test

1~2 다음 중 비교급과 최상급의 형태가 틀린 것을 고르세요.

1 ① fast – faster – fastest
② nice – nicer – nicest
③ old – older – oldest
④ far – farer – farest
⑤ little – less – least

2 ① busy – busier – busiest
② many – more – most
③ cute – cuter – cutest
④ bad – bader – badest
⑤ near – nearer – nearest

3 다음 빈칸에 알맞은 말이 나머지와 다른 것을 고르세요.

① Sarah is the tallest student ______ my class.
② Mom gets up the earliest ______ my family.
③ It is the most boring movie ______ the three.
④ Julie is the kindest girl ______ her school.
⑤ Mr. Robinson is the richest man ______ town.

4~5 다음 괄호 안에서 알맞은 말을 고르세요.

4

Mt. Halla is the highest mountain (in / of) Korea.

5

This sandwich is (cheaper / more cheap) than that hamburger.

6~7 다음 우리말과 같도록 빈칸에 알맞은 것을 고르세요.

6

Tommy draws pictures ______ than Sue.

토미는 수보다 그림을 더 잘 그린다.

① well ② good ③ better
④ best ⑤ the best

7

It was the most exciting story ______ them all.

그것은 그것들 모두 중에 가장 흥미진진한 이야기였다.

① of ② in ③ to
④ than ⑤ with

8~9 다음 중 틀린 문장을 고르세요.

8 ① Monkeys are wiser than mice.
② I have the least money of us.
③ I can jump higher than my brother.
④ This house is the largest one of my village.
⑤ The girl walked more slowly than the boy.

9 ① It is the worst result of all.
② This is the saddest drama of all.
③ Tom has the more magazines of us.
④ I have to drink more water than usual.
⑤ Sam is the tallest student in our school.

10 다음 빈칸에 알맞은 말이 바르게 짝지어진 것을 고르세요.

- The bus moved ________ than the taxi.
- We have ________ time than them.

① slowlier – less
② slowly – more
③ more slowly – less
④ more slowly – little
⑤ the most slowly – least

11 다음 그림을 보고, 바르게 묘사한 문장을 고르세요.

① Tim ate more pies than Sam.
② Sora ate more pies than Sam.
③ Sora ate more pies than Tim.
④ Tim ate the least pies of the three.
⑤ Sam ate the most pies of the three.

서술형

12 다음 문장에서 틀린 부분을 찾아 바르게 고쳐 문장을 다시 쓰세요.

I ordered expensivest hamburger in that restaurant.

➜ ________________________

13~14 다음 내용과 일치하도록 주어진 말을 이용하여 문장을 완성하세요.

The carrot is $1. The onion is $2. The lemon is $3.

13 The carrot ________________ three. (cheap)

14 The lemon ________________ the onion. (expensive)

Write about you!

15 다음 질문을 읽고, 자신에 관해 답해 보세요.

Q Who is the oldest in your family?
A ________________________

Grammar Book • Unit 2 p. 22를 확인해 보세요.

05 and, but, or의 의미와 쓰임

아래 빈칸을 채우면서 개념을 다시 한 번 익혀 보세요.

❶ ________ 는 단어와 단어, 구와 구, 문장과 문장을 연결해 주는 역할을 해요.

▶ and: ~와(과), 그리고

The man is tall ❷ ________ handsome. 그 남자는 키가 크고 잘생겼다.

▶ but: 그러나, ~지만

My brother can swim, ❸ ________ I can't swim.

내 남동생은 수영할 수 있지만, 나는 수영을 하지 못한다.

▶ or: 또는, ~나

I will drink juice ❹ ________ milk. 나는 주스 또는 우유를 마실 것이다.

Plus Tip and, but, or로 연결되는 내용은 접속사 앞과 뒤의 성격이 같아야 해요.

- I can play **the piano** and **the violin**. (구)
- **I feel tired**, but **I have to work**. (절)

Plus+ 고르기

A 다음 빈칸에 알맞은 말을 고르세요.

1 The girl is tall ________ weak. ① and ② but

2 Seoul ________ Tokyo are big busy cities. ① and ② but

3 I like music, ________ I don't like art. ① and ② but

4 We ate ________ drank too much. ① and ② but

5 Jane sings well, ________ she can't dance well. ① and ② but

6 He has an apple, an orange, ________ a pear. ① and ② but

weak 약한
Tokyo 도쿄(일본의 수도)
busy 분주한
art 미술
pear 배

정답 ● p. 13

빈칸 채우기

B 다음 빈칸에 but이나 or 중 알맞은 말을 쓰세요.

1 The problem is simple ________ difficult.

2 You can use this phone ________ that tablet PC.

3 How about going to a movie, ________ going shopping?

4 They were poor, ________ they helped sick animals.

5 We often watch soccer, ________ we don't play soccer.

problem 문제
simple 단순한
difficult 어려운
go shopping 쇼핑하러 가다

Level UP!

바꿔 쓰기

C 다음 빈칸에 알맞은 말을 골라 and나 but을 이용하여 밑줄 친 부분을 다시 쓰세요.

cold	nuts	dance	drank
smells bad	my grandmother walks slowly		

1 The singer will sing at the concert.
→ The singer will ________________ at the concert.

2 We ate too much last night.
→ We ________________ too much last night.

3 It was rainy yesterday.
→ It was ________________ yesterday.

4 Eggs are good for your brain.
→ ________________ are good for your brain.

5 The flower looks pretty.
→ The flower looks pretty, ________________.

6 I walk fast.
→ ________________________

nut 견과류
smell ~한 냄새가 나다
concert 콘서트
last night 지난밤
brain 두뇌

Build-up Writing

주어진 말 이용하여 문장 완성하기

A **다음 우리말과 같도록 and, but, or 중 하나와 주어진 말을 이용하여 문장을 완성하세요. (필요하면 동사의 형태를 알맞게 바꾸세요.)**

1 골프공은 작지만 단단하다. (small, hard)

→ A golf ball ______________________.

2 너와 나는 그 개를 돌봐야 한다. (have to, take care of, the dog)

→ You ______________________.

3 나는 열심히 공부했지만, 시험에 떨어졌다. (study hard, fail the test)

→ I ______________________.

4 짐은 종종 아이스크림을 먹거나 주스를 마신다. (drink juice, eat ice cream)

→ Jim often ______________________.

5 팀은 여기로 오거나 내가 그에게 전화할 것이다. (come here, call)

→ Tim will ______________________.

6 샐리는 야구를 좋아하지만, 나는 야구를 좋아하지 않는다. (like baseball)

→ Sally ______________________.

7 너는 공항에 오전에 갈 거니 아니면 오후에 갈 거니?
(in the morning, the airport, in the afternoon, go to)

→ Will you ______________________?

8 우리는 샤워를 하고 저녁을 먹고 영화를 봤다.
(take a shower, have dinner, watch a movie)

→ We ______________________.

hard 단단한
take care of ~을 돌보다
airport 공항

정답 ● p. 13

문장 배열하기

B 다음 우리말과 같도록 주어진 말을 바르게 배열하여 문장을 완성하세요.

1 그 상자는 컸지만 가벼웠다. (light, was, but, large, the box)

→ ______________________________

2 하마는 매우 크고 힘이 세다. (a hippo, strong, is, big, very, and)

→ ______________________________

3 상어와 문어는 해양 동물이다. (octopuses, sharks, are, and, ocean animals)

→ ______________________________

4 저 파란색 필통은 너의 것이니 혹은 그의 것이니? (his, is, or, that blue pencil case, yours)

→ ______________________________

5 우리는 그곳에 버스나 지하철로 갈 예정이다.
(going to, by subway, go, there, by bus, or, we're)

→ ______________________________

6 제니는 배고프고, 춥고, 졸렸다.
(and, sleepy, Jenny, was, hungry, cold)

→ ______________________________

7 내 여동생은 피아노와 바이올린을 연주할 수 있다.
(my sister, play, the violin, can, and, the piano)

→ ______________________________

8 나는 7시에 일어나지만, 앤은 6시에 일어난다.
(but, get up, at seven, Ann, I, gets up, at six)

→ ______________________________

light 가벼운
hippo 하마
shark 상어
octopus 문어
ocean 바다, 해양
his 그의 것
pencil case 필통
yours 너의 것
sleepy 졸린
hungry 배고픈

Grammar Book • Unit 2 p. 24를 확인해 보세요.

06 before와 after의 의미와 쓰임

아래 빈칸을 채우면서 개념을 다시 한 번 익혀 보세요.

▶ 접속사 before와 after는 일의 전후 관계를 나타낼 때 써요.

▶ before는 ❶'________' 라는 뜻이고, ❷________ 는 '~ 후에'라는 뜻이에요.

I wash my hands before I have lunch. 나는 점심을 먹기 전에 손을 씻는다.

I brush my teeth ❸________ I have lunch. 나는 점심을 먹은 후에 양치질을 한다.

▶ before와 after가 이끄는 문장은 문장의 앞이나 중간에 올 수 있어요.

▶ 접속사가 이끄는 문장이 앞에 오면, 그 문장의 끝에 ❹________ 를 써야 해요.

After it rains, there will always be sunshine.
비가 내린 후에, 언제나 햇살이 비출 것이다.

Plus Tip before와 after 뒤에는 절(주어+동사~)이 아닌 ❺________ 가 올 수도 있어요.

- I take a shower **before bed.** 나는 자기 전에 샤워를 한다.
- The people met **after dinner.** 그 사람들은 저녁 식사 후에 만났다.

Plus+ 고르기

A 다음 빈칸에 알맞은 말을 고르세요.

1 The lady tried the shoes on ________ she bought them.
① before ② after

2 We can see rainbows ________ it rains.
① before ② after

3 We always brush our teeth ________ we go to bed.
① before ② after

4 ________ my dad goes out, he looks around the house.
① Before ② After

5 ________ James bought some bread, he came back home.
① Before ② After

6 ________ I did my homework, I walked my dog.
① After ② Before

lady 숙녀
try on ~을 신어 보다
rainbow 무지개
look around 둘러보다
bread 빵
walk 산책시키다

정답 ● p. 13

Plus+

표 보고 빈칸 채우기

B 다음 일정표를 보고, 빈칸에 before와 after 중 알맞은 말을 쓰세요.

Day 2 of School Trip

7 a.m.~9 a.m.	wake up and have breakfast
9 a.m.~12 p.m.	explore historic sites
12 p.m.~1 p.m.	have lunch
1 p.m.~4 p.m.	climb Mt. Halla
4 p.m.~6 p.m.	make a presentation
6 p.m.~7 p.m.	have dinner
7 p.m.~9 p.m.	have a talent show and a campfire

wake up 깨다, 일어나다
explore 탐험하다
historic site 유적지
make a presentation 발표하다
talent show 장기 자랑
campfire 캠프파이어

1 They will explore historic sites ________ they have breakfast.

2 They will explore historic sites ________ they have lunch.

3 ________ they climb Mt. Halla, they will have lunch.

4 They will make a presentation ________ they climb Mt. Halla.

5 They will have dinner ________ they have a talent show and a campfire.

Level UP!

주어진 말 이용하여 문장 완성하기

C 다음 주어진 말을 이용하여 문장을 완성하세요. (필요하면 동사의 형태를 알맞게 바꾸세요.)

1 ____________________, its door opened. (stop, after, the bus)

2 This room was very cold ____________________.
(turn on, before, the heater, Kelly)

3 It started to rain ____________________. (the game, end, after)

4 ____________________, we always wash our faces with soap.
(come back home, we, after)

5 ____________________, he looked around carefully.
(the man, the door, open, before)

stop 멈추다
turn on ~을 틀다
heater 히터, 난방기
end 끝나다
soap 비누

Build-up Writing

문장 바꿔 쓰기

A 다음 우리말과 같도록 before나 after를 이용하여 문장을 다시 쓰세요.

1 나는 목욕을 하고 잠자리에 든다. → 나는 잠자리에 들기 전에, 목욕을 한다.

I usually take a bath and go to bed.

→ I usually take a bath ___before I go to bed___.

2 우리는 송별회를 했고 린은 떠났다. → 린이 떠나기 전에, 우리는 송별회를 했다.

We had a farewell party and Lin left.

→ ______________, we had a farewell party.

3 나는 도서관에서 책을 빌리고, 존을 만났다. → 나는 도서관에서 책을 빌린 후, 존을 만났다.

I checked out a book at the library and met John.

→ ______________, I met John.

4 우리는 휴대 전화를 껐고 쇼가 시작되었다. → 쇼가 시작되기 전에, 우리는 휴대 전화를 껐다.

We turned off our cell phone and the show started.

→ ______________, we turned off our cell phone.

5 우리 할머니는 항상 감사 기도를 하고 식사를 하셨다.

→ 우리 할머니는 식사를 하기 전에, 항상 감사 기도를 하셨다.

My grandmother always said grace and she had a meal.

→ My grandmother always said grace ______________.

6 우리 부모님은 저녁 식사를 하고 와인 한 잔을 즐긴다.

→ 우리 부모님은 저녁 식사를 한 후, 와인 한 잔을 즐긴다.

My parents have dinner and enjoy a glass of wine.

→ ______________, they enjoy a glass of wine.

take a bath 목욕하다
have a farewell party 송별회를 하다
check out (책을) 대출하다
turn off ~을 끄다
cell phone 휴대 전화
say grace 감사 기도를 하다
have a meal 식사를 하다
enjoy 즐기다
a glass of 한 잔의

정답 ● p. 13

주어진 말 이용하여 문장 완성하기

B 다음 두 문장의 관계에 맞게 before나 after를 이용하여 문장을 완성하세요. (필요하면 동사의 형태를 알맞게 바꾸세요.)

1 해가 진다(the sun, set) + 어두워진다(it, become dark)

→ After the sun sets, it becomes dark. / It becomes dark after the sun sets.

2 지하철이 떠난다(the subway, leave) + 우리는 그것에 타야 한다(should get on it)

→ ______________________________

3 도서관이 문을 연다(the library, open) + 너는 책을 빌릴 수 없다(can't check out books)

→ ______________________________

4 그것을 적어 놓아라(write it down) + 너는 그것을 잊어버리다(forget it)

→ ______________________________

5 추워진다(it, get cold) + 다람쥐들은 음식을 저장한다(squirrels, store food)

→ ______________________________

6 나는 일어난다(wake up) + 나는 내 침대를 정리한다(make my bed)

→ ______________________________

7 영화가 시작했다(the movie, start) + 우리는 팝콘을 샀다(buy popcorn)

→ ______________________________

8 나는 그 책을 읽었다(read, the book) + 나는 그것을 제인에게 빌려줬다(lend, to Jane)

→ ______________________________

set 해가 지다
dark 어두운
leave 떠나다
get on ~을 타다
squirrel 다람쥐
store 저장하다
make one's bed 침대를 정리하다
lend 빌려주다

07 when과 because의 의미와 쓰임

Grammar Book • Unit 2  p. 26을 확인해 보세요.

아래 빈칸을 채우면서 개념을 다시 한 번 익혀 보세요.

▶ when은 ❶'________' 라는 뜻으로 때를 나타내요.

I was hungry ❷________ the morning classes were over.
오전 수업이 끝났을 때 나는 배가 고팠다.

▶ because는 '~때문에'라는 뜻으로 ❸________ 를 나타내요.

❹________ he was thirsty, he drank some juice.
그는 목이 말라서 그는 주스를 좀 마셨다.

Plus Tip when이 의문사로 쓰일 때는 ❺'________' 라는 의미를 나타내요.
• When do you get up? 너는 언제 일어나니?

Grammar vs. Grammar

because 뒤에는 <주어 + 동사 ~>가 오고, because of 뒤에는 '명사'가 와요.

Because he caught a cold, he stayed in bed all day.
Because of a cold, he stayed in bed all day.
그는 감기에 걸려서 하루 종일 누워 있었다.

○ 다음 빈칸에 알맞은 말을 쓰세요.

because because of

1 ________ it was raining, I couldn't play baseball.
2 ________ rain, I couldn't play baseball.

Plus+ 고르기

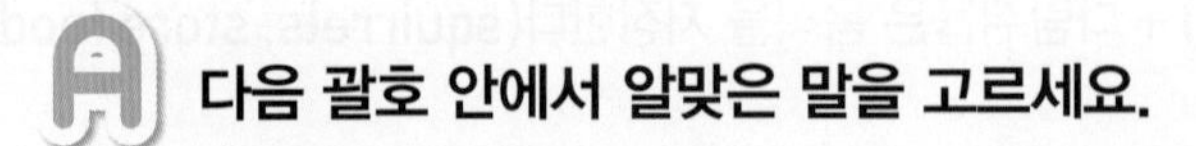

A 다음 괄호 안에서 알맞은 말을 고르세요.

1 Mom got angry (before / because) my room was very dirty.

2 (When / Because) the light was on, I saw a black cat.

3 People don't buy that sofa (when / because) the design is poor.

4 We must wear warm clothes (when / because) we go camping.

5 I can't read this book (when / because) one page is missing in it.

6 I lived in London (when / after) I was young.

dirty 더러운, 지저분한
on (불이) 켜진
poor 형편없는
clothes 의류
go camping 캠핑 가다
missing 잃어버린

정답 • p. 13

Plus+
고쳐 쓰기

B 다음 문장에서 틀린 부분을 찾아 바르게 고쳐 쓰세요.

1 Because my brother opened the door, I was singing. ______ → ______

2 I love this puppy after it's small and cute. ______ → ______

3 Leo missed the bus because of he got up late. ______ → ______

4 Before the battery is dead, I can't use my cell phone. ______ → ______

5 Andy was very tired because the game was over. ______ → ______

6 We can't sit when there are many people on the bus. ______ → ______

puppy 강아지
cute 귀여운
battery 배터리, 건전지
dead 작동을 안 하는, 다 된
tired 피곤한
over 끝난

Level UP!
주어진 말 이용하여 문장 완성하기

C 다음 주어진 말과 when과 because를 이용하여 문장을 완성하세요.
(필요하면 동사의 형태를 알맞게 바꾸세요.)

1 Bees dance ______________________. (find, honey, they)

2 ______________________, he went to bed early. (Sam, have a bad cold)

3 He was living in Seoul ______________________. (be twelve)

4 You should be careful ______________________. (the stairs, slippery)

5 Kevin and Lucy were sleepy ______________________.
(stay up, all night, they)

bee 꿀벌
honey 꿀
have a cold 감기에 걸리다
twelve 12살
stairs 계단
slippery 미끄러운
stay up (자지 않고) 깨어 있다

Build-up Writing

문장 배열하기

A 다음 우리말과 같도록 주어진 말을 바르게 배열하여 문장을 완성하세요.

1 날씨가 선선해서, 나는 가을을 좋아한다. (because, I, cool, like, it, is, fall)

➔ ______________________________

2 하루 종일 걸어서 나는 피곤했다. (walked, tired, I, all day, was, because, I)

➔ ______________________________

3 그가 나타나자, 아이들이 도망쳤다. (ran away, he, the children, when, showed up)

➔ ______________________________

4 샘이 리즈에게 전화했을 때, 그녀는 무척 기뻤다.
(was, called Riz, Sam, happy, when, she, so)

➔ ______________________________

5 폭풍이 가까워오자, 바람이 심하게 불었다.
(the storm, when, it, hard, came, nearer, blew)

➔ ______________________________

6 그 가방은 너무 무거워서 나는 옮길 수가 없다.
(because, carry it, the bag, too heavy, can't, I, is)

➔ ______________________________

7 우리가 공원에서 산책을 하고 있을 때, 비가 오기 시작했다.
(when, it, took a walk, began to, rain, we, at the park)

➔ ______________________________

8 그 질문이 어려워서 나는 대답을 할 수 없었다.
(the question, answer it, because, difficult, I, was, couldn't)

➔ ______________________________

cool 시원한
all day 하루 종일
run away 도망가다
show up 나타나다
storm 폭풍
hard 심하게
nearer 더 가까이
blow 바람이 불다
heavy 무거운
take a walk 산책하다

정답 ● p. 14

주어진 말 이용하여 문장 완성하기

B 다음 두 문장의 관계에 맞게 when이나 because를 이용하여 문장을 완성하세요. (필요하면 동사의 형태를 알맞게 바꾸세요.)

1 그녀가 집에 도착했다(arrive at home) + 그가 거기 있었다(be there)

→ When she arrived at home, he was there. / He was there when she arrived at home.

2 짐이 일어났다(wake up) + 오전 10시였다(be 10 a.m.)

→ ______________________

3 나의 남동생은 열이 있었다(have a fever) + 그는 약을 먹었다(take medicine)

→ ______________________

4 바람이 너무 불었다(it, so windy) + 그들은 집에 일찍 갔다(go home, early)

→ ______________________

5 나는 지갑을 두고 왔다(leave my wallet) + 나는 집에 걸어가야만 했다(have to walk home)

→ ______________________

6 컴퓨터가 고장이 났다(the computer, be broken) + 나는 컴퓨터 게임을 할 수 없다(play a computer game)

→ ______________________

7 나는 신상 스마트폰을 본다(see a brand-new smartphone) + 나는 그것을 사고 싶다(want, buy it)

→ ______________________

8 피터는 너무 배가 고프다(be so hungry) + 그는 햄버거 2개를 주문했다(order, hamburgers)

→ ______________________

fever 열
take medicine 약을 먹다
leave ~을 두고 오다
wallet 지갑
broken 고장 난
brand-new 신상의
order 주문하다

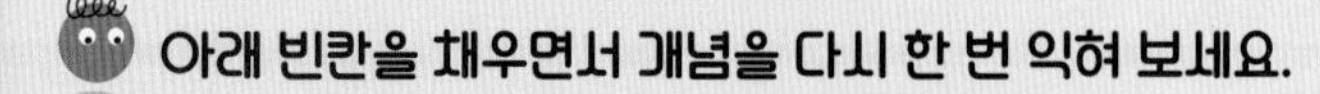

08 that의 의미와 쓰임

아래 빈칸을 채우면서 개념을 다시 한 번 익혀 보세요.

▶ 접속사 that이 이끄는 문장은 동사의 ❶ ________ 역할을 해요. 즉, 동사 know, think, say, believe, hope, forget, remember, promise 등의 목적어로 쓰여요.

I know. + My sister doesn't like eggs.

→ I know ❷ ________ my sister doesn't like eggs.

나는 우리 누나가 계란을 좋아하지 않는다는 걸 알고 있다.

▶ 접속사 that은 '❸ ________, ~라는 것'으로 해석하며 생략할 수 있어요.

Andrew said ❹ (________) the story was true.

앤드류는 그 이야기가 사실이라고 말했다.

Plus Tip that은 보어를 이끄는 접속사로도 쓰여요.

- The problem is ❺ ________ he has no money. 문제는 그가 돈이 없다는 것이다.

Plus+ 동그라미 하고, 표시하기

A 다음 문장의 동사에 동그라미 하고, that이 들어갈 자리에 ✔ 표시를 하세요.

1 I think we are best friends.

2 We believe God created the world.

3 Did you hear the team won a medal?

4 The problem was we had no plan.

5 I hope I will become a baseball player.

6 The little boy says he can run 100 m in 15 seconds.

God 신
create 만들다, 창조하다
win a medal 메달을 따다
plan 계획
second 초

정답 ● p. 14

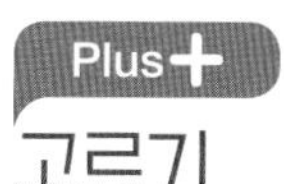

고르기

B 다음 빈칸에 that이 들어가는 것을 고르세요.

1 ① Sam didn't know __________ it was sold out.
② Sam doesn't like math __________ it is difficult.

2 ① I think __________ she can do everything.
② __________ you do it, think of the result.

3 ① Jessy cried __________ she heard the news.
② They heard __________ Mr. Smith was their new homeroom teacher.

4 ① You can go home, __________ stay here.
② Do you know __________ they didn't come to the class?

5 ① You can go out __________ you finish your work.
② I can't believe __________ I passed the test.

sold out 품절인
think of ~을 생각하다
result 결과
cry 울다
homeroom teacher 담임 선생님
class 수업
pass 통과하다

Level UP!

주어진 말 이용하여 문장 완성하기

C 다음 주어진 말과 that을 이용하여 문장을 완성하세요. (필요하면 동사의 형태를 알맞게 바꾸세요.)

1 I promise ______________________________. (the story, true)
나는 그 이야기가 사실임을 약속한다.

2 She believes ______________________________. (Tom, be honest)
그녀는 톰이 정직하다고 믿는다.

3 We heard ______________________________. (be a best-seller)
우리는 그녀의 책이 베스트셀러라고 들었다.

4 They knew ______________________________. (James, come from England)
그들은 제임스가 영국 출신임을 알고 있었다.

5 I hope ______________________________. (come back safely)
나는 그가 안전하게 돌아오기를 바란다.

6 The important thing is ______________________________. (love each other)
중요한 것은 우리가 서로 사랑한다는 것이다.

true 사실인
honest 정직한
best-seller 베스트셀러
come from ~ 출신이다
safely 안전하게
each other 서로

Build-up Writing

문장 배열하기

A 다음 우리말과 같도록 주어진 말을 바르게 배열하여 문장을 완성하세요.

1 레베카는 자신의 새 가방을 잃어버렸다고 말했다. (lost, her new bag, that, she)

→ Rebecca said ______________________________.

2 너는 '시간이 돈이다'라는 말을 들었니? (hear, time, that, money, is)

→ Did you ______________________________?

3 그 의사는 최선을 다하겠다고 약속했다. (did his best, promised, that, he)

→ The doctor ______________________________.

4 그녀는 내가 내일 떠난다는 것을 알지 못한다. (that, will, tomorrow, I, leave, know)

→ She doesn't ______________________________.

5 제인은 그가 지난번에 샘을 만난 것을 기억하지 못했다.
(the other day, remember, met, she, Sam, that)

→ Jane didn't ______________________________.

6 우리는 도마뱀의 꼬리가 다시 자랄 수 있다는 것을 안다.
(grow back, the lizard's tail, that, can, know)

→ We ______________________________.

7 우리는 그가 새 친구들과 잘 지내기를 바란다.
(hope, gets along with, that, his new friends, he)

→ We ______________________________.

8 우리는 그 쇼핑센터가 일요일에는 문을 열지 않는다는 것을 잊었다.
(that, on Sunday, wasn't, the shopping center, forgot, open)

→ We ______________________________.

lose 잃어버리다
do one's best 최선을 다하다
the other day 지난번에
lizard 도마뱀
tail 꼬리
get along with ~와 잘 지내다
open 열려 있는

정답 • p. 14

주어진 말 이용하여 문장 완성하기

B 다음 두 문장의 관계에 맞게 that을 이용하여 문장을 완성하세요. (필요하면 동사의 형태를 알맞게 바꾸세요.)

1 나는 들었다(hear) + 그 남자가 새로 온 사람이다(a newcomer, the man)

→ ______________________________

2 그들은 모른다(know) + 그녀가 머리가 아프다(have, a headache)

→ ______________________________

3 우리는 믿는다(believe) + 그가 약속을 지킬 것이다(keep, his promise)

→ ______________________________

4 나는 기억한다(remember) + 그녀가 긴 곱슬머리를 했었다(have, long curly hair)

→ ______________________________

5 그녀는 말한다(say) + 그녀는 3개 국어를 할 수 있다(speak, foreign languages)

→ ______________________________

6 그들은 믿지 않는다(believe) + 그가 창문을 깼다(break, the window)

→ ______________________________

7 모든 사람들이 기대한다(hope) + 그가 신기록을 세울 것이다(set, a new record)

→ ______________________________

8 넌 알고 있었니(know) + 린이 대회에서 메달을 땄다(Lin, win a medal, in the contest)

→ ______________________________

newcomer 신입, 새로 온 사람
curly 곱슬의
foreign 외국의
language 언어
set a record 기록을 세우다
contest 대회, 경연 대회

Review Test

1~3 다음 괄호 안에서 알맞은 말을 고르세요.

1

Jane's hair is short, (and / but) Sue's hair is long.

2

Call (before / because) you come.

3

(Because / After) I had a fever, I didn't go out.

4~5 다음 빈칸에 알맞은 말이 바르게 짝지어 진 것을 고르세요.

4

- Brush your teeth ______ you have a meal.
- ______ she leaves for school, she says good-bye to her mom.

① before – After ② after – When
③ after – That ④ before – Because
⑤ after – Because

5

- We will go to a park ______ a mountain.
- You ______ I like each other.

① or – and ② and – or
③ or – but ④ but – and
⑤ but – or

6 다음 밑줄 친 부분 중 쓰임이 나머지와 다른 것을 고르세요.

① When did you meet Sally?
② John was crying when I saw him.
③ I was shocked when I heard the news.
④ When you open the door, be careful.
⑤ When I listen to his music, I feel happy.

7~8 다음 밑줄 친 부분 중 틀린 것을 고르세요.

7

① Tim is young but brave.
② I thought that he was a firefighter.
③ After I studied, I went out for a walk.
④ Because I was sick, I went to see a doctor.
⑤ Before he had money, he ordered a hot drink.

8

① I ate bread, steak, and salad.
② She knew what he was American.
③ After I finished the project, I took a trip.
④ You can go there by bus or by subway.
⑤ He did the work slowly but carefully.

9 다음 밑줄 친 부분 중 생략할 수 있는 것을 고르세요.

① Jack thinks that I don't like him.
② Before Lin went out, she turned off the light.
③ I like math, but Mary doesn't like math.
④ I bought some fruits, vegetables, and snacks.
⑤ Crystal opened the door after somebody knocked.

10 다음 빈칸에 공통으로 알맞은 말을 쓰세요.

• Do you know ________ Mr. Smith wears glasses?
• The fact is ________ he lost his car.

11 다음 문장에서 틀린 부분을 찾아 바르게 고쳐 쓰세요.

A woman is weak, and a mother is strong.
여성은 약하지만, 어머니는 강하다.

________ → ________

12 다음 빈칸에 알맞은 말을 쓰세요.

I think ________ she is busy on Sunday.

서술형

13 다음 그림을 보고, 틀린 부분을 바르게 고쳐 문장을 다시 쓰세요.

Tom takes a shower after he does his homework.

→ ________________

14 다음 우리말과 같도록 주어진 말을 바르게 배열하여 문장을 완성하세요.

사과 몇 개를 산 후, 나는 도서관에 갔다.

→ ________________

(bought some apples, I, the library, after, I, went to)

Write about you!

15 다음 <보기>처럼 like와 and를 이용하여 자신이 좋아하는 것을 쓰세요.

보기
I like math, music, and history.

→ ________________

Practice Book

09 to부정사의 형태와 쓰임

아래 빈칸을 채우면서 개념을 다시 한 번 익혀 보세요.

▶ to부정사는 〈❶ ________ + ❷ ________ 〉의 형태로 써요.

▶ to부정사는 문장에서 명사, 형용사, 부사처럼 쓰여요.

▶ 명사로 쓰인 to부정사는 '~하기, ~하는 것'으로 해석하며 문장에서 ❸ ________ , ❹ ________ , 목적어로 쓰여요.

❶ 주어로 쓰인 to부정사는 '~하기(는), ~하는 것(은)'으로 해석해요.

❺ ________ a cake is fun. 케이크 만들기는 재미있다.

❷ 보어로 쓰인 to부정사는 '~하기(이다), ~하는 것(이다)'로 해석해요.

His job is ❻ ________ sick people. 그의 직업은 아픈 사람들을 돕는 것이다.

Plus Tip '~이다, ~이 있다'의 의미를 갖는 be동사(is, am, are)의 to부정사는 to be로 써요.

Plus+ 고르기 1

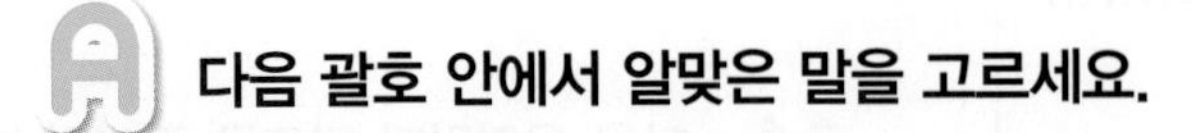

A 다음 괄호 안에서 알맞은 말을 고르세요.

1 (To study / Study) math is hard.

2 His work is (to fix / fix) bicycles.

3 (Watch / To watch) TV is very interesting.

4 His hobby is (collects / to collect) toys.

5 (Drink / To drink) water every morning is good.

6 My mom's job is (to design / designs) clothes.

7 (Finish / To finish) my homework is my plan.

8 Is your dream (become / to become) a movie star?

collect 모으다
toy 장난감
design 디자인하다
clothes 옷, 의류
movie star 영화배우

문제 듣기

정답 • p. 15

Plus+
빈칸 채우고, 우리말 완성하기

B 다음 주어진 말과 to를 이용하여 문장과 우리말 뜻을 완성하세요.

1 His job is ________ fish. (catch)
그의 직업은 물고기를 ______________.

2 ________ cartoons is very fun. (draw)
______________ 매우 재미있다.

3 My dream is ________ to Hawaii. (go)
나의 꿈은 하와이에 ______________.

4 ________ pictures is my hobby. (take)
______________ 나의 취미이다.

5 ________ hair was the man's work. (cut)
______________ 그 남자의 일이다.

fish 물고기
catch 잡다
cartoon 만화
draw 그리다
take pictures 사진을 찍다
cut 자르다

Level UP!
고르기 2

C 다음 괄호 안에서 알맞은 말을 고르세요.

1 A What is your uncle's job?
B My uncle's job is (to write / to play) books.

2 A What is your plan?
B (To fish / To buy) in the lake is my plan.

3 A What is Andy's hope?
B Andy's hope is (to help / to go) poor people.

4 A What is his hobby?
B (To skate / To climb) mountains is his hobby.

5 A What was their goal?
B Their goal was (to win / to work) the board game.

fish 낚시하다
lake 호수
climb 오르다
mountain 산
board game 보드게임

Build-up Writing

문장 고쳐 쓰기

A 다음 밑줄 친 부분을 to를 이용하여 바르게 고쳐 다시 쓰세요.

1 Her job is make cakes and cookies.

→ Her job is to make cakes and cookies.

2 Swim is good for your health.

→

3 Become an artist is my dream.

→

4 Their plan is go skating in winter.

→

5 The farmer's work is grow oranges.

→

6 Drive a school bus is her job.

→

7 Send an e-mail to him is important.

→

8 Go to the amusement park is exciting.

→

9 Is your son's hobby play online games?

→

health 건강
artist 예술가
farmer 농부
online games 온라인 게임

정답 • p. 15

문장 배열하기

B 다음 우리말과 같도록 주어진 말을 바르게 배열하여 문장을 완성하세요.

1 나의 목표는 매주 책을 한 권 읽는 것이다. (to, a book, read)

→ My goal is ______________________ every week.

2 친구들과 온라인 채팅을 하는 것은 매우 재미있다. (with friends, to, chat online)

→ ______________________ is very fun.

3 그들의 직업은 자동차를 만드는 것이다. (cars, to, make)

→ Their job is ______________________.

4 주말에 소풍을 가는 것은 나의 가족의 취미이다. (go on a picnic, to, on weekends)

→ ______________________ is my family's hobby.

5 그녀의 습관은 늦잠을 자는 것이었다. (late, to, get up)

→ Her habit was ______________________.

6 세상에서 가장 빠른 사람을 만난 것은 놀라운 일이었다. (the fastest man, meet, to)

→ ______________________ in the world was amazing.

7 컴퓨터를 사용하는 것은 어렵지 않다. (a computer, use, to)

→ ______________________ isn't difficult.

8 우리의 계획은 그 배우들의 사진을 찍는 것이다. (take, to, pictures)

→ Our plan is ______________________ of the actors.

9 그 이야기를 듣는 것은 지루했다. (the story, to, listen to)

→ ______________________ was boring.

chat (인터넷으로) 대화하다
go on a picnic 소풍 가다
get up late 늦잠 자다
amazing 놀라운
boring 지루한

10 목적어로 쓰이는 to부정사

Grammar Book • Unit 3 p. 40을 확인해 보세요.

아래 빈칸을 채우면서 개념을 다시 한 번 익혀 보세요.

▶ 목적어로 쓰인 to부정사는 '~하기(를), ❶ ________ '로 해석해요.

▶ to부정사를 ❷ ________ 로 갖는 동사에는 want, hope, need, plan, learn 등이 있어요.

I want ❸ ________ English. 나는 영어를 배우기를 원한다.

He hopes ❹ ________ a singer. 그는 가수가 되기를 소망한다.

She learns ❺ ________ . 그녀는 춤추는 것을 배운다.

Plus Tip to부정사가 문장에서 주어, 보어, 목적어 역할을 하는 것을 '명사적 용법'이라고 해요.

Plus+ 동그라미 하고, 연결하기

A 다음 문장의 to부정사에 동그라미 하고, to부정사의 쓰임에 연결하세요.

1 We want to buy a bigger car. •

2 To make your bed every morning is hard. •

3 His work is to treat sick animals. •

4 You need to get up earlier. •

5 My hope is to be a shoe designer. •

6 To take care of cats is not easy. •

7 I hope to meet my old friends. •

8 My plan is to write a letter in English. •

• 주어

• 목적어

• 보어

make one's bed 잠자리를 정돈하다
hard 힘든
treat 치료하다
designer 디자이너
take care of ~을 돌보다

문제 듣기

정답 ● p. 16

Plus+

빈칸 채워 대화 완성하기

B 다음 빈칸에 알맞은 말을 골라 대화를 완성하세요.

to go　　to be　　to read　　to have

1 A What is your dream?
  B I want ________ a soccer player.

2 A What do you plan to do?
  B I plan ________ to the zoo.

3 A Is pizza okay for lunch?
  B Yes. I want ________ pizza.

4 A What did you learn today?
  B I learned ________ some English words.

Level UP!

그림 보고 빈칸 채우기

C 다음 그림을 보고, (A), (B)에서 알맞은 말을 하나씩 골라 문장을 완성하세요.

(A) to eat　　to see　　to paint　　to play
(B) the guitar　　koalas　　some popcorn　　the dog house

1 Someday I hope ____________________.

2 He wants ____________________.

3 My dad and I plan ____________________.

4 
Do you want ____________________ in the theater?

someday 언젠가
koala 코알라
doghouse 개집
theater 극장

Build-up Writing

문장 고쳐 쓰기

A 다음 밑줄 친 부분을 바르게 고쳐 문장을 다시 쓰세요.

1 I want drink more orange juice.

→ ______________________________

2 Mark hopes visit his uncle again.

→ ______________________________

3 They plan go on a picnic.

→ ______________________________

4 He learned play the violin.

→ ______________________________

문장 배열하기

B 다음 우리말과 같도록 주어진 말을 바르게 배열하여 문장을 완성하세요.

1 나는 그들을 만나기를 희망한다. (meet, hope, them, to)

→ I ______________________________.

2 그녀는 손을 씻기를 원한다. (her hands, to, wants, wash)

→ She ______________________________.

3 우리는 햄 샌드위치를 먹을 계획이다. (eat, ham sandwiches, to, plan)

→ We ______________________________.

4 그 가족은 미국으로 가기를 원했다. (to, go, wanted, to the U.S.)

→ The family ______________________________.

the U.S. 미국

정답 • p. 16

주어진 말 이용하여 문장 완성하기

C **다음 우리말과 같도록 주어진 말을 이용하여 문장을 완성하세요. (필요하면 동사의 형태를 알맞게 바꾸세요.)**

1 나는 그 유명한 축제에 가기를 희망한다. (hope, go)

→ I ________________ to the famous festival.

2 학생들은 온라인으로 공부하는 것을 배운다. (study, learn)

→ Students ________________ online.

3 샘은 그 산에 스키 타러 가기를 원한다. (want, go skiing)

→ Sam ________________ on the mountain.

4 그들은 이탈리아에서 미술을 공부하기를 희망한다. (hope, study)

→ They ________________ art in Italy.

5 우리는 더 많은 플라스틱을 재활용할 필요가 있다. (recycle, need)

→ We ________________ more plastic.

6 제니는 오늘 콘서트에 갈 계획이었다. (go, plan)

→ Jenny ________________ on a concert today.

7 너는 너의 책상을 매일 청소할 필요가 있다. (need, clean)

→ You ________________ your desk every day.

8 그는 인기 가수가 되기를 원하니? (become, want)

→ Does he ________________ a pop singer?

9 너희들은 그 컴퓨터 프로그램을 사용하는 것을 배웠니? (use, learn)

→ Did you ________________ the computer program?

art 미술
recycle 재활용하다
plastic 플라스틱
pop singer 인기 가수
program 프로그램

11 부사적 용법의 to부정사

Grammar Book • Unit 3 p. 42를 확인해 보세요.

아래 빈칸을 채우면서 개념을 다시 한 번 익혀 보세요.

▶ 부사로 쓰인 to부정사는 목적이나 원인을 나타내요.

❶ 목적을 나타내는 to부정사는 '❶ __________'로 해석해요.

I come here to see a movie. 나는 영화를 보기 위해 여기에 온다.

I study hard ❷ ________ the test. 나는 시험에 합격하기 위해 열심히 공부한다.

❷ 원인을 나타내는 to부정사는 '❸ __________'로 해석해요.

They are glad to meet Sally. 그들은 샐리를 만나서 기쁘다.

He is sad ❹ ________ the news. 그는 그 소식을 들어서 슬프다.

Plus Tip to부정사가 원인을 나타낼 때는 앞에 happy, glad, sad 등 감정의 ❺ ________ 가 주로 쓰여요.

Plus+ 연결하기

A 다음을 알맞게 연결하세요.

1	The students go to school	•	• to take a walk.
2	Some people went to the forest	•	• to listen to music.
3	We go to a nice restaurant	•	• to study history.
4	Alice goes to the airport	•	• to catch the first train.
5	Jack went to the bakery	•	• to take the plane.
6	Sally got up early	•	• to buy some bread.
7	I bought some vegetables	•	• to make a salad.
8	Bill turned on the radio	•	• to have dinner.

take a walk 산책하다
forest 숲
airport 공항
catch ~을 타다
bakery 제과점
plane 비행기
dinner 저녁 식사

정답 ● p. 16

Plus+
고쳐 쓰고, 우리말 완성하기

B 다음 밑줄 친 부분을 바르게 고쳐 쓰고, 우리말 뜻을 완성하세요.

1 He is excited ride a bicycle. → ________
그는 자전거를 ________________ 신이 난다.

2 She goes to the pool swim. → ________
그녀는 ________________ 수영장에 간다.

3 We are happy go on a picnic. → ________
우리는 소풍을 ________________ 기쁘다.

4 I go to the restroom wash my hands. → ________
나는 손을 ________________ 화장실에 간다.

restroom 화장실

Level UP!
빈칸 채워 대화 완성하기

C 다음 빈칸의 말을 알맞은 형태로 고쳐 대화를 완성하세요.

lose	play	fail	send	see

1 A Why are you so sad?
B I am sad ________ the test.

2 A Why do you go to the playground?
B We go there ________ baseball.

3 A Why do you use your cell phone?
B I use it ________ text messages.

4 A Why do many people go to Jeju Island?
B They go there ________ Mt. Halla.

5 A Why was Paul angry yesterday?
B He was angry ________ his bike.

lose 잃어버리다
fail 떨어지다
send 보내다
playground 운동장
text message 문자 메시지

Build-up Writing

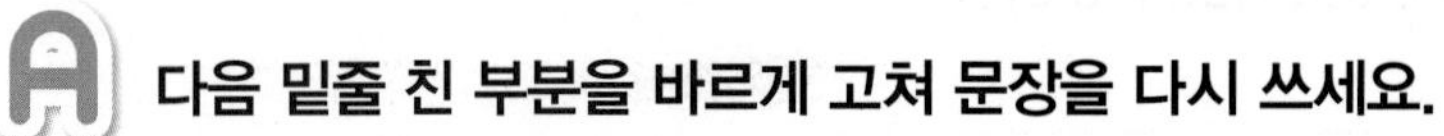

문장 고쳐 쓰기

A 다음 밑줄 친 부분을 바르게 고쳐 문장을 다시 쓰세요.

1 We were glad be home again.
→ ______________________________

2 They go to the sea swim.
→ ______________________________

3 The girl was sad stay at the hospital on Children's Day.
→ ______________________________

4 The old man was happy find his cat.
→ ______________________________

5 We go to the cafeteria eat lunch.
→ ______________________________

6 Jessica was angry miss the last subway.
→ ______________________________

7 They are excited have a New Year's party.
→ ______________________________

8 My father turns on the light read the newspaper.
→ ______________________________

9 My son went to the library check out a book.
→ ______________________________

sea 바다
Children's Day 어린이날
find 찾다
cafeteria 카페테리아, 구내식당
last 마지막의
subway 지하철
New Year's party 새해 파티
newspaper 신문

정답 ● p. 16

문장 배열하기

B 다음 우리말과 같도록 주어진 말을 바르게 배열하여 문장을 완성하세요.

1 나는 혼자 있어서 외롭다. (to be, lonely, feel, alone)

→ I ________________________________.

2 우리는 그 소식을 듣게 되어 행복하다. (to hear, happy, are)

→ We ________________________________ the news.

3 잭은 그 마을을 떠나게 되어 슬프다. (sad, to, is, leave)

→ Jack ________________________________ the town.

4 그는 버터를 사기 위해 슈퍼마켓에 갔다. (to the supermarket, to, went, buy)

→ He ________________________________ some butter.

5 나는 내 차로 당신을 그곳에 데려다 줄 수 있어서 기쁘다. (happy, to, take, am)

→ I ________________________________ you there in my car.

6 그들은 쉬기 위해 벤치 위에 앉았다. (to, on the bench, sat, rest)

→ They ________________________________.

7 때때로 우리는 새들을 보기 위해 산에 간다. (to, go, to the mountain, see)

→ Sometimes we ________________________________ birds.

8 그들은 식당에서 그를 만나서 놀랐다. (surprised, were, to, meet)

→ They ________________________________ him at the restaurant.

9 산드라는 중국어를 공부하기 위해 베이징에 갔다. (to Beijing, went, study, to)

→ Sandra ________________________________ Chinese.

lonely 외로운
alone 혼자서
leave 떠나다
take 데려다 주다
rest 쉬다
surprised 놀란
Beijing 베이징(중국의 수도)
Chinese 중국어

Grammar Book • Unit 3 p. 44를 확인해 보세요.

12 형용사적 용법의 to부정사

아래 빈칸을 채우면서 개념을 다시 한 번 익혀 보세요.

▶ to부정사는 앞에 있는 ❶ ________ 나 대명사를 수식하는 형용사로 쓰여요.

We need some water to drink. 우리는 마실 물이 좀 필요하다.

▶ 형용사적 용법의 to부정사는 '❷ ________________'로 해석해요.

I have many books ❸ ________. 나는 읽을 책이 많이 있다. (명사 수식)

He wants something to eat. 그는 ❹ ________ 무언가를 원한다. (대명사 수식)

Plus Tip 형용사는 사물의 성질이나 상태를 나타내는 말로, 명사나 대명사를 수식해요.
- cold water 시원한 물
- big boxes 커다란 상자들
- something new 새로운 것

Plus+ 어구 완성하기

A 다음 우리말과 같도록 주어진 말을 이용하여 어구를 완성하세요.

1 먹을 음식 (food, eat) → ________________

2 입을 옷 (clothes, wear) → ________________

3 마실 시원한 주스 (cold juice, drink) → ________________

4 만날 두 명의 친구들 (two friends, meet) → ________________

5 타야 할 버스 (the bus, take) → ________________

6 읽을 만화책들 (comic books, read) → ________________

7 주문할 식료품 (grocery, order) → ________________

8 재활용할 플라스틱 병들 (recycle, plastic bottles) → ________________

comic book 만화책
grocery 식료품
order 주문하다
bottle 병

정답 • p. 16

Plus+
고르기

B 다음 괄호 안에서 알맞은 말을 고르세요.

1 We have (do a lot of work / a lot of work to do).

2 Annie wants (some snacks to eat / eat some snacks).

3 These are (the shirts to wash / to wash the shirts).

4 This is (to read the book / the book to read) tomorrow.

5 Michael needs (wear new shoes / new shoes to wear) today.

a lot of 많은
snack 간식
shirt 셔츠
wash 세탁하다

Level UP!
빈칸 채워 대화 완성하기

다음 (A), (B)에서 알맞은 말을 하나씩 골라 대화를 완성하세요.

(A) the dress	the trees	~~the chicken~~	the socks	the bananas
(B) ~~to cook~~	to wear	to plant	to eat	to wash

1 A What is this chicken?
B It is ___the chicken to cook___.

2 A What are these dirty socks?
B They are ________________.

3 A What are these bananas?
B They are ________________ now.

4 A What is this beautiful dress?
B It is ________________ for the party.

5 A What are these small trees?
B They are ________________ in the garden.

sock 양말
plant 심다
garden 정원

Build-up Writing

문장 고쳐 쓰기

A 다음 밑줄 친 부분을 바르게 고쳐 문장을 다시 쓰세요.

1 We bought ten apples eat.
→ ______

2 Do you have a pan fry chicken?
→ ______

3 This is the knife cut onions.
→ ______

4 These are the gloves wear when I feel cold.
→ ______

pan 팬
fry 튀기다
knife 칼
onion 양파
glove 장갑

문장 배열하기

B 다음 우리말과 같도록 주어진 말을 바르게 배열하여 문장을 완성하세요.

1 너는 닦아야 할 창문이 더 많이 있다. (to, clean, have, more windows)
→ You ______.

2 켈리는 읽을 책을 몇 권 샀다. (some books, read, bought, to)
→ Kelly ______.

3 그는 요리할 감자가 필요하니? (need, cook, potatoes, to)
→ Does he ______?

4 이것들이 설거지해야 할 접시들이다. (to, wash, are, the dishes)
→ These ______.

potato 감자

정답 ● p. 17

주어진 말 이용하여 문장 완성하기

C 다음 우리말과 같도록 주어진 말을 이용하여 문장을 완성하세요.

1 나는 그 편지들을 안에 보관할 더 큰 상자를 원한다. (a bigger box, keep)

→ I want ____________________ the letters in.

2 네가 떠나기 전에 읽어야 할 이메일이 있다. (read, an e-mail)

→ You have ____________________ before you leave.

3 이것은 오늘 입을 코트이다. (wear, the coat)

→ This is ____________________ today.

4 케빈은 세탁할 담요가 있다. (a blanket, wash)

→ Kevin has ____________________.

5 우리는 먹을 빵이 많이 있다. (eat, a lot of bread)

→ We have ____________________.

6 사라는 마실 물을 조금 원한다. (drink, some water)

→ Sarah wants ____________________.

7 그는 끝내야 할 숙제가 없다. (finish, homework)

→ He doesn't have ____________________.

8 이것들은 재활용할 유리병이다. (recycle, glass bottles)

→ These are ____________________.

blanket 담요
glass bottle 유리병
throw away ~을 버리다

9 이것은 버릴 낡은 가방이다. (throw away, an old bag)

→ This is ____________________.

Review Test

1~2 다음 밑줄 친 부분 중 틀린 것을 고르세요.

1
① To cook at home is fun.
② My plan is to study math.
③ To do the work was boring.
④ His dream was to go to Italy.
⑤ Travel around the world is nice.

2
① I have many things to do.
② We have something drink.
③ He had some things to buy.
④ She has two questions to ask.
⑤ They have pictures to show you.

3 다음 우리말과 같도록 빈칸에 알맞은 것을 고르세요.

> He plans ______ soccer.
> 그는 축구를 할 계획이다.

① play ② plays
③ to play ④ playing
⑤ to plays

4 다음 빈칸에 들어갈 go의 형태가 나머지와 다른 것을 고르세요.

① I want ______ camping today.
② She hopes ______ to the theater.
③ They need ______ to school early.
④ She doesn't ______ fishing with them.
⑤ We plan ______ there to meet friends.

5~6 다음 괄호 안에서 알맞은 말을 고르세요.

5

> I hope (win / to win) the game!

6

> Does he want (eat anything / anything to eat)?

7~8 다음 빈칸에 들어갈 말이 바르게 짝지어 진 것을 고르세요.

7

> • ______ a horse is very exciting.
> • They plan ______ their grandmother.

① Ride – visiting ② Ride – to visit
③ Rides – visiting ④ To ride – visiting
⑤ To ride – to visit

8

> • You need ______ harder.
> • I learn ______ on ice.

① study – skating
② studying – skate
③ to study – to skate
④ to study – skating
⑤ studying – to skate

9 다음 그림을 보고, 빈칸에 알맞은 말이 바르게 짝지어진 것을 고르세요.

> Andrew wants ______ a police officer ______ bad people.

① to work – to play
② working – meeting
③ to meet – catching
④ becoming – to play
⑤ to become – to catch

10~11 다음 중 밑줄 친 to부정사의 쓰임이 나머지와 다른 것을 고르세요.

10
① She was happy to see him.
② He is sad to leave his family.
③ Timmy was excited to ride a bike.
④ I was glad to meet my favorite singer.
⑤ We go to school to study many things.

11
① He was angry to lose his keys.
② I go to the park to take a walk.
③ Dan goes to the sea to catch fish.
④ She went there to buy some sugar.
⑤ They are here to meet your parents.

서술형

12~13 다음 우리말과 같도록 주어진 말을 이용하여 문장을 완성하세요.

12

> 많은 학생들이 영어로 말하기를 배운다.

→ ______________________

(students, learn, speak, in English)

13

> 우리는 뭘 좀 먹으려고 멈추었다.

→ ______________________

(stopped for, eat, something)

14 다음 주어진 말을 바르게 배열하여 문장을 완성하세요.

> (hopes, David, a picture, with them, to take).

→ ______________________

Write about you!

15 다음 질문을 읽고, 자신에 관해 답해 보세요.

> Q What do you want to eat for dinner?
> A ______________________

13 동명사의 형태와 쓰임

아래 빈칸을 채우면서 개념을 다시 한 번 익혀 보세요.

▶ 동명사는 〈❶ ________ + ❷ ________ 〉의 형태로 써요.

▶ 동명사는 명사처럼 문장에서 주어, 보어, 목적어로 쓰여요.

❶ 주어로 쓰인 동명사는 '❸ ________________ '으로 해석해요.

❹ ________ trees is dangerous. 나무를 오르는 것은 위험하다.

❷ ❺ ________ 로 쓰인 동명사는 '~하기(이다), ~하는 것(이다)'로 해석해요.

His hobby is reading webtoons. 그의 취미는 웹툰을 ❻ ____________ .

Plus Tip believe와 같이 -e로 끝나는 동사를 동명사로 만들 때는 e를 빼고 -ing를 붙여요.

• make → making • take → ❼ ________

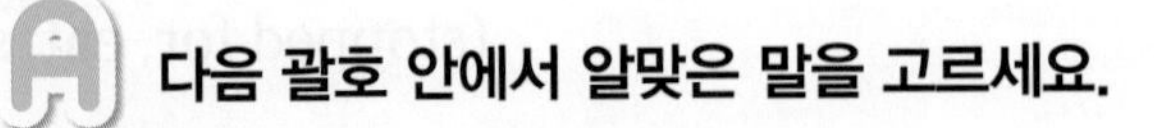

Plus+ 고르기 1

A 다음 괄호 안에서 알맞은 말을 고르세요.

1 My job is (teach / teaching) students.

2 Is your plan (study / studying) music in college?

3 (Writes / Writing) in English is very difficult.

4 The man's dream is (buys / buying) a boat.

5 (Goes / Going) to the dentist is hard for me.

6 (Drinking / Drink) too much soda is bad.

7 His father's hobby is (goes / going) fishing.

8 (Meeting / Meets) my grandparents is always good.

college 대학
dentist 치과 의사
soda 탄산음료
go fishing 낚시하러 가다

정답 ● p. 17

빈칸 채우기

B 다음 빈칸에 알맞은 말을 골라 문장을 완성하세요.

sleeping teaching planting singing traveling

1 My hope is __________ to Canada.

2 __________ songs is Jenny's hobby.

3 __________ too late is bad for your health.

4 Naomi's work is __________ grammar to students.

5 His job is __________ flowers in the garden.

travel 여행하다
grammar 문법

Level UP!

고르기 2

C 다음 괄호 안에서 알맞은 말을 고르세요.

1 A What is your dream?
B My dream is (become / becoming) a nurse.

2 A What is the boy's hobby?
B (Play / Playing) computer games is his hobby.

3 A What is his work in the factory?
B His work is (making / makes) cars.

4 A What is her job in the restaurant?
B (Cooking / Cook) for people is her job.

5 A What is your plan for the weekend?
B My plan is (cleans / cleaning) the kitchen.

nurse 간호사
factory 공장
kitchen 부엌

Build-up Writing

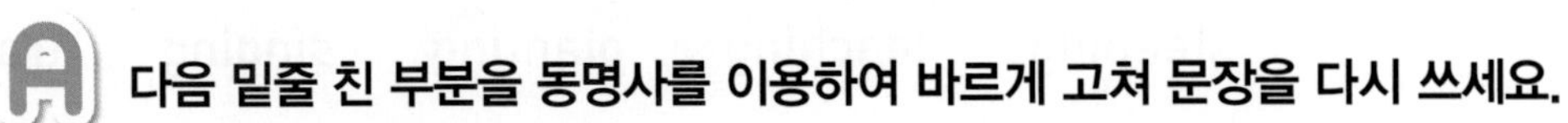

문장 고쳐 쓰기

A 다음 밑줄 친 부분을 동명사를 이용하여 바르게 고쳐 문장을 다시 쓰세요.

1 His hobby is go hiking.

→ ______________________________

2 Read fairy tales is very interesting.

→ ______________________________

3 My dream is become a doctor.

→ ______________________________

4 Fly a kite is fun.

→ ______________________________

5 Read English is easier than writing.

→ ______________________________

6 Their goal is travel to Spain in summer.

→ ______________________________

7 Run in the morning is good for health.

→ ______________________________

8 When my dad was young, his dream was fly in the sky.

→ ______________________________

fairy tale 전래 동화
fly a kite 연을 날리다

정답 • p. 18

문장 배열하기

B 다음 우리말과 같도록 주어진 말을 바르게 배열하여 문장을 완성하세요.

1 그의 직업은 집을 짓는 것이다. (is, his job, building houses)

→ ______________________________

2 우리의 계획은 시장에 가는 것이다. (going to, our plan, is, the market)

→ ______________________________

3 나의 목표는 그 축구 동호회에 가입하는 것이다. (is, joining the soccer club, my goal)

→ ______________________________

4 새로운 사람들을 만나는 것은 재미있나요? (interesting, is, meeting new people)

→ ______________________________

5 나의 남동생과 함께 노는 것은 재미있다. (my little brother, fun, playing with, is)

→ ______________________________

6 점심 식사 후에 차를 마시는 것은 그의 습관이다. (drinking tea, after lunch, his habit, is)

→ ______________________________

7 택시를 타는 것이 버스를 타는 것보다 빠르다. (taking a bus, is, taking a taxi, faster than)

→ ______________________________

8 사탕을 너무 많이 먹는 것은 여러분의 치아에 좋지 않다.
(good, isn't, eating too much candy, for your teeth)

→ ______________________________

market 시장
join 가입하다
take a taxi 택시를 타다

14 목적어로 쓰인 동명사

Grammar Book • Unit 4 p. 52를 확인해 보세요.

아래 빈칸을 채우면서 개념을 다시 한 번 익혀 보세요.

▶ 목적어로 쓰인 동명사는 '❶ ________________'로 해석해요.

We enjoy ❷ ________ online games. 우리는 온라인 게임하는 것을 즐긴다.

The man keeps walking. 그 남자는 계속 걷는다.

▶ 주어, 보어, 목적어로 쓰이는 동명사는 ❸ ________ 와 쓰임이 비슷해요.

❹ ________ English is interesting. 영어를 배우는 것은 재미있다.

= To learn English is interesting.

Plus+ 동그라미 하고, 연결하기

A 다음 문장의 동명사에 동그라미 하고, 동명사의 쓰임에 연결하세요.

1 Reading the novel is boring. •

2 Running with my dog is fun. •

3 His plan is finishing his work. •

4 Anna enjoys writing letters to her friends. •

5 Dancing with them is great. •

6 They practice jumping high. •

7 Someone kept singing at night. •

8 My goal was losing weight. •

• 주어

• 보어

• 목적어

letter 편지
jump 뛰다
high 높이
at night 밤에
lose weight 살을 빼다

정답 • p. 18

Plus+

빈칸 채워 대화 완성하기

B 다음 빈칸에 알맞은 말을 골라 대화를 완성하세요.

reading　driving　playing　watching

1 A What is his job?
B His job is ________ a bus.

2 A What did Nick do yesterday?
B He practiced ________ the piano all day.

3 A What do you enjoy doing?
B I enjoy ________ funny movies.

4 A What is your plan for today?
B I will finish ________ this book.

yesterday 어제
funny 웃기는

Level UP!

그림 보고 빈칸 채우기

C 다음 (A), (B)에서 알맞은 말을 하나씩 골라 그림에 대한 문장을 완성하세요.

(A) buying　taking　playing　becoming
(B) pictures　a sports car　a singer　with my cat

1 I enjoyed ________________.

2 Some people like ________________.

3 My plan is ________________.

4 ________________ is Kelly's dream.

sports car 스포츠카

Build-up Writing

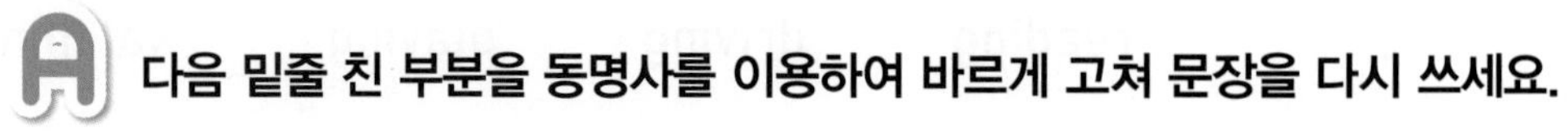

문장 고쳐 쓰기

A 다음 밑줄 친 부분을 동명사를 이용하여 바르게 고쳐 문장을 다시 쓰세요.

1 I enjoy collect comic books.
→ ______________________

2 Her job is cut people's hair.
→ ______________________

3 Sell fruits is their work.
→ ______________________

4 They keep walk to the lake.
→ ______________________

5 Their plan is take yoga classes on Sundays.
→ ______________________

6 Eat too much fast food is bad.
→ ______________________

7 Is your job bake bread?
→ ______________________

8 He finished read an e-mail from his uncle.
→ ______________________

9 Drink enough water is important.
→ ______________________

comic book 만화책
sell 팔다
yoga class 요가 수업
bake 굽다
enough 충분한
important 중요한

정답 • p. 18

주어진 말 이용하여 문장 완성하기

B 다음 우리말과 같도록 주어진 말과 동명사를 이용하여 문장을 완성하세요.

1 인터넷을 사용하는 것은 쉽다. (the Internet, use)

→ ______________________ is easy.

2 그는 그림 그리기를 즐긴다. (draw pictures, enjoys)

→ He ______________________.

3 그녀는 계속 물을 마신다. (drink water, keeps)

→ She ______________________.

4 운동하는 것은 건강에 좋다. (good, exercise, is)

→ ______________________ for health.

5 그는 탁자를 닦는 것을 끝마쳤다. (clean, finished, the table)

→ He ______________________.

6 우리의 휴가 계획은 그 섬에 가는 것이다. (go, to the island, is)

→ Our plan for the vacation ______________________.

7 해돋이를 보는 것은 너무 멋졌다. (the sunrise, see, was)

→ ______________________ so wonderful.

8 그 뮤직 비디오를 보는 것은 재미있었다. (the music video, watch, was)

→ ______________________ fun.

9 그의 습관은 화가 날 때 손톱을 물어뜯는 것이다. (is, his nails, bite)

→ His habit ______________________ when he feels angry.

island 섬
sunrise 해돋이
wonderful 훌륭한, 멋진
bite one's nails 손톱을 물어뜯다

Grammar Book • Unit 4 p. 54를 확인해 보세요.

15 동명사/to부정사를 목적어로 갖는 동사

아래 빈칸을 채우면서 개념을 다시 한 번 익혀 보세요.

▶ 동명사 또는 to부정사 중 하나만을 목적어로 갖는 동사와, 둘 다를 목적어로 갖는 동사가 있어요.

❶ 동명사만을 목적어로 갖는 동사: enjoy, finish, keep, practice, give up 등

Cindy keeps ❶ ______ the piano. 신디는 피아노를 계속 연주한다.

❷ to부정사만을 목적어로 갖는 동사: want, ❷ ______(희망하다), need, ❸ ______(계획하다), learn 등

We want ❹ ______ the roof. 우리는 지붕에 페인트칠하기를 원한다.

❸ 동명사와 to부정사 모두 목적어로 갖는 동사: ❺ ______(좋아하다), love, hate, ❻ ______(시작하다), begin 등

The children like ❼ ______. 그 아이들은 달리기를 좋아한다.

= The children like to run.

Plus+ 고르기

A 다음 괄호 안에서 알맞은 말을 모두 고르세요.

1 They learn (to play / playing) soccer.

2 I practice (to speak / speaking) English.

3 Do you like (to cook / cooking) Korean food?

4 We keep (running / to run) in the playground.

5 Jessy loves (listening / to listen) to rap music.

6 Does he hope (to be / being) a high school teacher?

7 The man plans (to travel / traveling) to France.

8 The children begin (watching / to watch) a cartoon.

Korean food 한식
rap music 랩 뮤직
high school 고등학교
France 프랑스
cartoon 만화

정답 ● p. 18

Plus+
빈칸 채우기 1

B 다음 주어진 말을 바르게 고쳐 쓰고, 우리말을 완성하세요.

1 She wants __________ a new dress. (buy)
그녀는 새 드레스를 __________ 원한다.

2 Josh enjoys __________ with his new friends. (play)
조쉬는 그의 새 친구들과 __________ 즐긴다.

3 Do you need __________ my cell phone? (use)
너는 내 휴대 전화를 __________ 필요가 있니?

4 The man keeps __________ on the door. (knock)
그 남자는 계속 문을 __________.

5 We planned __________ to the grocery store. (go)
우리는 식료품점에 __________ 계획이었다.

cell phone 휴대 전화
knock 두드리다
grocery store 식료품점

Level UP!
빈칸 채우기 2

C 다음 빈칸에 알맞은 말을 골라 알맞은 형태로 고쳐 쓰세요.

swim　dry　read　play　brush　go

1 You need __________ the clothes.

2 The boys like __________ in the pool.

3 Stella learns __________ chess.

4 Peter finished __________ his teeth.

5 My grandfather enjoys __________ the newspaper.

6 We gave up __________ to the movies because of the heavy rain.

dry 말리다
pool 수영장
play chess 체스를 두다
brush one's teeth 양치질을 하다
because of ~ 때문에
heavy rain 폭우

Build-up Writing

문장 고쳐 쓰기

A 다음 밑줄 친 부분을 바르게 고쳐 문장을 다시 쓰세요.

1 She hopes study science.
→ ______________________

2 Josh practices throw a ball on the playground.
→ ______________________

3 Some people want helping other people.
→ ______________________

4 They enjoy to take pictures at the park.
→ ______________________

throw a ball 공을 던지다

문장 배열하기

B 다음 우리말과 같도록 주어진 말을 바르게 배열하여 문장을 완성하세요.

1 너는 요리하는 것을 좋아하니? (like, you, cooking, do)
→ ______________________

2 그는 그 식물에 물을 줄 필요가 있다. (the plants, he, to water, needs)
→ ______________________

3 그녀는 하루 종일 그 소설을 계속 읽었다. (kept, she, the novel, reading, all day long)
→ ______________________

4 나는 점심을 먹기 전에 그 문에 페인트칠하는 것을 끝마쳤다.
(before I had lunch, the door, painting, I, finished)
→ ______________________

plant 식물
water (화초에) 물을 주다
all day long 하루 종일

정답 ● p. 18

주어진 말 이용하여 문장 완성하기

C **다음 우리말과 같도록 주어진 말을 이용하여 문장을 완성하세요. (필요하면 동사의 형태를 알맞게 바꾸세요.)**

1 그들은 나무를 심기 시작한다. (plant, start)
→ They ________________ trees.

2 파티에 온 사람들은 계속해서 춤을 추었다. (keep, dance)
→ The people at the party ________________.

3 너는 영어를 열심히 공부할 필요가 있다. (study, need)
→ You ________________ English hard.

4 나는 그들과 캠핑가기를 원한다. (go camping, want)
→ I ________________ with them.

5 그들은 자동차를 운전하는 것을 배웠니? (drive, learn)
→ Did they ________________ a car?

6 우리는 영화 보는 것을 매우 좋아한다. (love, watch)
→ We ________________ movies.

7 그는 매일 바이올린 연주하는 것을 연습한다. (practice, play)
→ He ________________ the violin every day.

8 나는 날이 더 따뜻해지기 전에 스케이트를 타러 갈 계획이다. (plan, go skating)
→ I ________________ before it gets warmer.

9 우리는 해변에서 노는 것을 즐겼다. (play, enjoy)
→ We ________________ on the beach.

violin 바이올린
skate 스케이트를 타다
get warmer 따뜻해지다
beach 해변

Unit 4

Review Test

1~2 다음 밑줄 친 부분 중 틀린 것을 고르세요.

1
① Sing songs is their hobby.
② Building bridges is their job.
③ Going skiing is very exciting.
④ Eating delicious food is great.
⑤ Playing the guitar was not easy.

2
① My plan was stay in Busan.
② His work is setting the table.
③ Their hobby was swimming.
④ Her job was picking up trash.
⑤ My dream is becoming a fire fighter.

3~4 다음 괄호 안에서 알맞은 말을 고르세요.

3
(Reading / Reads) cartoons is Annie's hobby. She loves (draws / drawing) cartoons, too.

4
I enjoy (baking / to bake) cookies. I practice (baking / to bake) chocolate cookies for my parents.

5~6 다음 빈칸에 알맞은 말을 고르세요.

5
________ new clothes is always fun.

① Wear ② Wore ③ Wearing
④ Wears ⑤ To wears

6
Mike finished ________ the dishes after he had dinner.

① wash ② washes ③ to wash
④ washing ⑤ to washing

7 다음 중 틀린 문장을 고르세요.

① We practice playing soccer.
② He finishes writing a letter.
③ You need using the Internet.
④ They gave up doing the work.
⑤ She hates cleaning the window.

8 다음 빈칸에 들어갈 study의 형태가 나머지와 다른 것을 고르세요.

① Rovin planned ________ math.
② Her son wanted ________ history.
③ The boy needed ________ science.
④ My cousin enjoyed ________ music.
⑤ Vicky always hoped ________ English writing.

9 다음 그림을 보고, 빈칸에 알맞은 말을 고르세요.

James likes ______________ after school.

① meeting his friends
② playing basketball
③ studying in the library
④ to visit his grandfather
⑤ to talk with his little sister

10 다음 중 밑줄 친 동명사의 쓰임이 나머지와 다른 것을 고르세요.

① Her work is selling clothes.
② Their job was teaching math.
③ My plan was visiting my cousin.
④ He loves eating vanilla ice cream.
⑤ My dream is seeing the pyramids.

11 다음 주어진 말을 알맞은 형태로 고쳐 빈칸에 쓰세요.

- She likes __________ her new computer. (use)
- Tom gave up __________ the report. (finish)

서술형

12~13 다음 주어진 말을 바르게 배열하여 문장을 완성하세요.

12 (keeps, the girl, the cello, playing).

→ ______________________________

13 (singing, and dancing, we, practice, every day).

→ ______________________________

14 다음 우리말과 같도록 주어진 말을 이용하여 문장을 완성하세요.

케빈은 그의 방 청소를 끝마쳤다.

→ ______________________________

(finish, clean, his room)

Write about you!

15 다음 질문을 읽고, 자신에 관해 답해 봅시다.

Q What do you enjoy doing on weekends?

A ______________________________

16 2형식 감각동사

Grammar Book • Unit 5 p. 64를 확인해 보세요.

아래 빈칸을 채우면서 개념을 다시 한 번 익혀 보세요.

▶ be동사 자리에 5가지 감각을 표현하는 ❶ ________ 를 쓸 수 있어요.

The girl is pretty. 그 소녀는 예쁘다.

→ The girl ❷ ________ pretty. 그 소녀는 예뻐 보인다.

▶ 대표적인 감각동사

feel(~한 느낌이 들다) look(~처럼 보이다) ❸ ________ (~한 냄새가 나다)

sound(~하게 들리다) ❹ ________ (~한 맛이 나다)

▶ 감각동사 다음에 오는 말은 부사처럼 해석되지만 ❺ ________ 를 써야 해요.

She looks sadly. (×) She looks ❻ ________ . (○) 그녀는 슬프게 보인다.

Plus Tip be동사와 감각동사는 뒤에 목적어 대신 '보어'가 오며, 이런 문장을 '2형식 문장'이라고 해요.

- Jenny is cute. 제니는 귀엽다.
- Jenny feels happy. 제니는 ❼ ________ .

Plus+ 동그라미 하고, 밑줄 치기

A 다음 문장의 감각동사에 동그라미 하고, 보어를 찾아 밑줄을 치세요.

1 Dark colors feel cold.

2 The lemon juice tastes sour.

3 Jake looks tired and hungry.

4 The milk tea smelled bad.

5 The dress looks warm and soft.

6 This new song sounds a little strange.

7 The children felt very happy and excited.

dark 어두운
sour 신, 시큼한
tired 피곤한
a little 조금, 약간
excited 흥분된

정답 ● p. 19

바꿔 쓰기

B 다음 문장의 밑줄 친 부분을 대신할 수 있는 말을 골라 문장을 완성하세요. (필요하면 동사의 형태를 알맞게 바꾸세요.)

look smell taste sound feel

1 The cookies were salty and spicy.
→ The cookies ________ salty and spicy. 그 쿠키들은 짜고 매콤한 맛이 났다.

2 I said the TV was really loud.
→ I said the TV ________ really loud. 나는 TV 소리가 너무 크게 들린다고 말했다.

3 I am sad, lonely, and angry.
→ I ________ sad, lonely, and angry. 나는 슬프고 외롭고 화가 난다고 느껴.

4 The soap is small, but it is strong.
→ The soap ________ small, but it ________ strong.
그 비누는 작아 보이지만, 강한 냄새가 난다.

salty 짠
spicy 매콤한
loud 큰, 시끄러운
lonely 외로운
soap 비누

Level UP!

고쳐 쓰기

C 다음 문장에서 틀린 부분을 찾아 바르게 고쳐 쓰세요.

1 These small fruits taste sourly. ________ → ________

2 The sky looks darkly before it rains. ________ → ________

3 Her song sounds beautiful and sweetly. ________ → ________

4 Mike looked healthily when we met him. ________ → ________

5 The tomato pasta smells really wonderfully. ________ → ________

fruit 열매, 과일
sourly 시게, 시큼하게
healthily 건강하게
pasta 파스타
wonderfully 놀랍도록, 놀랍게

Build-up Writing

문장 배열하기

A **다음 우리말과 같도록 주어진 말을 바르게 배열하여 문장을 완성하세요.**

1 이 당근은 끔찍한 맛이 난다. (terrible, tastes, this carrot)

→ ______________________________

2 이 침팬지는 똑똑해 보인다. (smart, looks, this chimpanzee)

→ ______________________________

3 이 천은 부드럽고 매끄러운 느낌이 든다. (and, this cloth, smooth, feels, soft)

→ ______________________________

4 이 카레 요리는 달콤하고 좋은 맛이 난다. (good, this curry, sweet, tastes, and)

→ ______________________________

5 네 목소리는 내게 왜 슬프게 들리는 거니? (why, does, sad, your voice, to me, sound)

→ ______________________________

6 여러분의 발이 깨끗하고 건조할 때, 그것들은 좋은 냄새가 날 것이다!
(are, they, will, good, smell, clean and dry)

→ When your feet ______________________________!

7 켈리가 그 방에 들어갔을 때, 그녀는 춥고 습하다고 느꼈다.
(felt, cold, entered the room, wet, and, she)

→ When Kelly ______________________________.

8 샐리는 그 음식은 맛있어 보였지만, 짠맛이 난다고 말했다.
(the dish, salty, looked, delicious, but, tasted)

→ Sally said ______________________________.

terrible 끔찍한
carrot 당근
chimpanzee 침팬지
smart 똑똑한
cloth 천
smooth 매끄러운
curry 카레 요리
foot 발 (복수형 feet)
dry 건조한
enter ~에 들어가다
wet 습한, 축축한
dish 음식

정답 ● p. 19

주어진 말 이용하여 문장 완성하기

B 다음 우리말과 같도록 주어진 말과 감각동사를 이용하여 문장을 완성하세요. (필요하면 동사의 형태를 알맞게 바꾸세요.)

1 바닷물은 짠맛이 난다. (sea water, salty)

→ ______________________

2 그 아이들의 노래는 경쾌하게 들린다. (the children's song, cheerful)

→ ______________________

3 이 강은 깊어 보이고 저 산은 높아 보인다. (this river, deep, and, that mountain, high)

→ ______________________

4 그 치즈 피자는 이상하고 끔찍한 냄새가 났다. (the cheese pizza, funny, terrible)

→ ______________________

5 그녀의 말은 단순하고 쉽게 느껴진다. (her words, simple, easy)

→ ______________________

6 그 꽃들은 아름답게 보이고 달콤한 냄새가 난다. (the flowers, beautiful, sweet)

→ ______________________

7 이 오렌지들은 시고 약간 쓴맛이 난다. (these oranges, sweet, sour, a little, bitter)

→ ______________________

8 비가 그친 후, 모든 것이 깨끗하고 하얗게 보인다. (everything, clean, white)

→ After it rains, ______________________.

sea water 바닷물
cheerful 경쾌한, 유쾌한
river 강
deep 깊은
mountain 산
simple 단순한
bitter 쓴
everything 모든 것

17 4형식 수여동사

아래 빈칸을 채우면서 개념을 다시 한 번 익혀 보세요.

▶ '주다'라는 의미를 갖는 4형식 수여동사는 '~에게'와 '~을'의 두 개의 목적어를 갖고 있어요.

give(~에게 …을 주다) show(~에게 …을 보여 주다) make(~에게 …을 만들어 주다)
bring(~에게 …을 가져다 주다) buy(~에게 …을 사 주다) ❶ ________ (~에게 ~을 보내 주다)
ask(~에게 …을 물어보다) tell(~에게 …을 말해 주다) ❷ ________ (~에게 ~을 가르쳐 주다)

▶ 수여동사의 순서: 수여동사 + ❸ ________ (~에게) + ❹ ________ (…을)

I'll show ❺ ________ some pictures. 내가 너에게 그림 몇 점을 보여 줄게.

▶ 간접목적어(~에게)는 전치사(to, for, of)를 이용해서 직접목적어(~을) 뒤로 옮길 수 있어요.

He gave her a flower. 그는 그녀에게 꽃을 주었다.
= He gave a flower ❻ ________ ❼ ________ .

Plus Tip
- to를 쓰는 동사: give, bring, send, show, teach, tell, pass 등 대부분의 수여동사
- for를 쓰는 동사: buy, make 등
- of를 쓰는 동사: ❽ ________ (묻다) 등

Plus+ 고르기

A 다음 괄호 안에서 알맞은 것을 고르세요.

1 Sera always tells (the truth me / me the truth).

2 The teacher showed (us stars / our stars) at night.

3 My pet brought (an old sock to me / an old sock me).

4 Mr. Kim teaches (them history / history them).

5 My mother bought (a nice jacket to me / a nice jacket for me).

6 The tall man passed (the ball Tom / Tom the ball) on the playground.

7 Mary asked (a question to her mom / her mom a question).

truth 진실
at night 밤에
history 역사
jacket 재킷

정답 ● p. 20

Plus+
동그라미 하고, 우리말 완성하기

B 다음 문장에서 '~을'로 해석되는 부분에 동그라미 하고, 밑줄 친 부분의 우리말 뜻을 쓰세요.

1 Who made Henry the cookies?
누가 ________________ 만들어 주었니?

2 She showed her diary to Martin.
그녀는 ________________ 보여 주었다.

3 Dr. Lee teaches students math.
이 박사님은 ________________ 가르치신다.

4 Did you send him a birthday card?
너는 ________________ 보냈니?

5 A mother bird gives food to her babies.
어미 새는 ________________ 준다.

diary 일기장
card 카드
food 먹이

Level UP!
배열하기

C 다음 주어진 말을 바르게 배열하여 문장을 완성하세요.

1 I will give ________________. (some pocket money, you)
나는 너에게 약간의 용돈을 주겠다.

2 The old gentleman told ________________. (thank-you, me)
그 노신사는 나에게 고맙다고 말했다.

3 Can you show ________________? (your room, me, to)
나에게 너의 방을 보여 줄 수 있니?

4 We asked ________________. (many questions, her, of)
우리는 그녀에게 많은 질문을 했다.

5 My father always makes ________________ on Sunday.
(spaghetti, us) 우리 아빠는 일요일에 항상 우리에게 스파게티를 만들어 주신다.

pocket money 용돈
gentleman 신사
thank-you 감사의 말
spaghetti 스파게티

Build-up Writing

주어진 말 이용하여 문장 완성하기

A 다음 주어진 말을 이용하여 문장을 완성하세요.

1 He showed his new cell phone.
→ He ___showed her his new cell phone___. (her)
→ He ___showed his new cell phone to her___. (her, to)

2 Sophie told her secret.
→ Sophie ______________________. (Jack)
→ Sophie ______________________. (Jack, to)

3 I bought a new shirt.
→ I ______________________. (my dad)
→ I ______________________. (my dad, for)

4 Mr. Brown teaches music.
→ Mr. Brown ______________________. (them)
→ Mr. Brown ______________________. (them, to)

5 Did you ask many questions?
→ Did you ask ______________________? (John)
→ Did you ask ______________________? (John, of)

6 Susie sent a message.
→ Susie sent ______________________. (us)
→ Susie sent ______________________. (us, to)

7 I made a sandcastle.
→ I made ______________________. (my sister)
→ I made ______________________. (my sister, for)

secret 비밀
message 메시지
sandcastle 모래성

정답 ● p. 20

문장 배열하기

B 다음 우리말과 같도록 주어진 말을 바르게 배열하여 문장을 완성하세요.

1 너는 나에게 재미있는 이야기들을 말해 줄 수 있니? (you, funny stories, tell, can, me)
→ ______________________________

2 요리사가 우리에게 스테이크를 가져다주었다. (the cook, the steak, us, brought)
→ ______________________________

3 샐리는 그녀의 아들에게 생일 선물을 주었다. (to, gave, a birthday gift, Sally, her son)
→ ______________________________

4 그들은 나에게 어떤 질문도 묻지 않았다. (me, they, ask, any questions, didn't)
→ ______________________________

5 당신은 저에게 지도 좀 건네줄 수 있나요? (pass, can, the map, you, me, to)
→ ______________________________

6 루시는 그녀의 학생들에게 미술을 가르쳤다. (Lucy, art, taught, her students)
→ ______________________________

7 그 아이들은 그들의 엄마에게 꽃을 사 드렸다.
(their mom, the children, for, flowers, bought)
→ ______________________________

8 크리스는 그의 가족들에게 그 소식을 말하지 않았다.
(to, didn't, the news, tell, Chris, his family)
→ ______________________________

cook 요리사
steak 스테이크
birthday gift 생일 선물
art 미술

18 5형식 동사

아래 빈칸을 채우면서 개념을 다시 한 번 익혀 보세요.

▶ 목적어 뒤에서 목적어를 보충해서 설명하는 '목적격보어'가 오는 동사들을 ❶'________ 동사'라고 해요.

make(~을 …하게 만들다) keep(~을 …하게 유지하다) ❷________ (~을 …라고 이름 짓다)
call(~을 …라고 부르다) think(~을 …라고 생각하다) paint(~을 …색으로 칠하다)

▶ '목적격보어'는 명사나 ❸________ 가 와요.

We named our son Tony. 우리는 우리의 아들을 토니라고 이름 지었다.
I think the story true. 나는 그 이야기를 사실이라고 생각한다.

▶ 5형식 동사의 순서: 5형식 동사+목적어+ ❹________

He calls his dog Max. 그는 그의 강아지를 맥스라고 부른다.
(his dog: 목적어, Max: 목적격보어)

Plus Tip 같은 동사가 문장에 따라 여러 형식으로 쓰일 수 있어요.
- He made that pizza. (3형식)
- He made me the pizza. ❺(________)
- He made me a doctor. ❻(________)

Plus+ 고르기

A 다음 괄호 안에서 알맞은 말을 고르세요.

1 My grandmother called (Pretty me / me Pretty).

2 The woman made (a doctor her son / her son a doctor).

3 We thought (the man handsome / handsome the man).

4 She painted (the door green / green the door).

5 James will make (larger his bed / his bed larger).

6 Emily kept (the living room warm / the living room warmly).

grandmother 할머니
handsome 잘생긴
larger 더 큰

문제 듣기

정답 ● p. 20

빈칸 채우기

B 다음 중 목적어를 보충 설명할 수 있는 말을 이용하여 문장을 완성하세요.

a dancer open blue tired Sweety smart clean

1 Who painted the wall ________?

2 The hot weather made us ________.

3 You must always keep your hands ________.

4 The man made his daughter ________.

5 I thought my little brother ________.

6 My parents called me ________ when I was young.

7 Because Ron is very sleepy, he can't keep his eyes ________.

daughter 딸
parents 부모님
open (눈 등이) 떠져 있는

Level UP!

우리말 완성하기

C 다음 문장의 밑줄 친 부분에 유의하여 우리말 뜻을 완성하세요.

1 The bottle keeps the water.
그 병은 물을 유지한다.
→ The bottle keeps the water hot.
그 병은 ________________ 유지한다.

2 They call me.
그들은 나를 부른다.
→ They call me a genius.
그들은 ________________ 부른다.

3 He named his dog.
그는 그의 개를 이름 지었다.
→ He named his dog White.
그는 ________________ 이름 지었다.

4 Serena colored her chair.
세레나는 그녀의 의자를 색칠했다.
→ Serena colored her chair silver.
세레나는 ________________ 색칠했다.

5 We think Mr Kim.
우리는 김 선생님을 생각한다.
→ We think Mr. Kim kind and honest.
우리는 ________________ 생각한다.

bottle 병
genius 천재
color 색칠하다
silver 은색의

Build-up Writing

문장 배열하기

A 다음 우리말과 같도록 주어진 말을 바르게 배열하여 문장을 완성하세요.

1 그 요리사는 그의 칼을 날카롭게 유지한다. (his knife, keeps, sharp)

→ The chef ______________________.

2 너의 상냥한 말이 너의 부모님을 행복하게 만든다. (happy, make, your parents)

→ Your kind words ______________________.

3 우리는 우리 치아를 깨끗하게 유지해야 한다. (clean, our teeth, keep)

→ We have to ______________________.

4 그 가수는 그의 팬들을 흥분하게 만든다. (his fans, excited, makes)

→ The singer ______________________.

5 사람들은 이 음식을 뜨겁게 먹는 것을 좋아한다. (this food, hot, eat)

→ People like to ______________________.

6 창문을 열어 두세요. (open, the window, keep)

→ Please ______________________.

7 샌디는 그를 유명하다고 생각한다. (famous, him, thinks)

→ Sandy ______________________.

8 나를 망고라고 부르지 말아 주세요. (me, Mango, call)

→ Don't ______________________, please.

9 우리는 개집을 연녹색으로 칠했다. (light green, painted, the doghouse)

→ We ______________________.

10 나는 이 보드게임이 재미있다고 생각한다. (interesting, this board game, think)

→ I ______________________.

sharp 날카로운
fan 팬
famous 유명한
doghouse 개집
light green 연녹색
board game 보드게임

정답 ● p. 20

주어진 말 이용하여 문장 완성하기

B 다음 우리말과 같도록 주어진 말을 이용하여 문장을 완성하세요. (필요하면 동사의 형태를 알맞게 바꾸세요.)

1 그 소녀들은 그 장소를 비밀 정원이라고 이름 지었다. (the place, Secret Garden)

→ The girls ______________________.

2 그 긴 코트는 너를 따뜻하게 유지해 줄 것이다. (warm)

→ The long coat ______________________.

3 나는 그의 이야기가 진실이라고 생각하지 않는다. (true)

→ I ______________________.

4 비타민 C는 우리를 건강하게 유지해 준다. (healthy)

→ Vitamin C ______________________.

5 그녀의 도움은 그를 훌륭한 치과 의사로 만들었다. (a great dentist)

→ Her help ______________________.

6 그 아이는 벽을 갈색으로 칠했다. (the wall, brown)

→ The child ______________________.

7 그 소식은 우리를 걱정되고 초조하게 만들었다. (worried and nervous)

→ The news ______________________.

8 나는 나의 반려동물을 치즈라고 부른다. (my pet, Cheese)

→ I ______________________.

9 에이미는 그 퍼즐이 어렵다고 생각했다. (the puzzle, difficult)

→ Amy ______________________.

10 나를 어린아이라고 생각하지 마세요. (a kid)

→ Please ______________________.

place 장소
healthy 건강한
worried 걱정스러운
nervous 초조한
puzzle 퍼즐
difficult 어려운
kid 아이, 꼬마

Unit 5

Review Test

1~3 다음 괄호 안에서 알맞은 말을 고르세요.

1

Seat belt keeps people (safe / safely).

2

You look (sick / sickly). Are you okay?

3

I'll tell (you more stories / more stories you) tomorrow.

4~5 다음 빈칸에 알맞은 말이 바르게 짝지어 진 것을 고르세요.

4

- I thought this story ______.
- My parents made me ______.

① true – happy
② truly – happily
③ truly – happy
④ truth – happiness
⑤ true – happiness

5

- These strawberries ______ bad.
- The smell of the bread made me ______.

① feel – happy　② taste – hungry
③ sound – sick　④ smell – happily
⑤ taste – salty

6 다음 밑줄 친 부분의 쓰임이 나머지와 다른 것을 고르세요.

① I made some pizza.
② She made me a doctor.
③ The song makes people sad.
④ The news made us worried.
⑤ The movie made me happy.

7~8 다음 빈칸에 알맞지 않은 것을 고르세요.

7

He ______ us some photos.

① gave　② showed
③ brought　④ sent
⑤ sounded

8

This hot dog ______ delicious.

① looks　② tastes
③ likes　④ is
⑤ smells

9~10 다음 중 틀린 문장을 고르세요.

9 ① The soup tastes salt.
② I'll buy you some books.
③ She showed me her diary.
④ Mr. Smith told us the truth.
⑤ It will keep us safe from the heavy rain.

10 ① It smells good.
② These glasses look weak.
③ I think my dog very cute.
④ Please tell us to the news.
⑤ The news sounded serious.

11 다음 문장에서 틀린 부분을 찾아 바르게 고쳐 쓰세요.

Her songs sound terribly.

__________ ➜ __________

12 다음 그림을 보고, 빈칸에 알맞은 말을 쓰세요.

This soup __________ spicy.

서술형

13~14 다음 우리말과 같도록 주어진 말을 바르게 배열하여 문장을 완성하세요.

13 선글라스는 우리를 빛으로부터 안전하게 해 준다.

➜ Sunglasses ____________________.

(keep, safe, us, from, the light)

14 그의 말은 우리를 몹시 화나게 만들었다.

➜ His ______________________.

(very angry, made, words, us)

Write about you!

15 다음과 같이 방과 후 자신에 대해 묘사하는 문장을 쓰세요.

I feel tired after school.

____

Grammar Book • Unit 6 p. 74를 확인해 보세요.

19 명령문

아래 빈칸을 채우면서 개념을 다시 한 번 익혀 보세요.

▶ 상대방에게 '~하라'는 의미의 명령문을 쓸 때는 주어를 쓰지 않고, ❶ ________ 을 문장의 맨 앞에 써요.

You are kind. 너는 친절하다. → ❷ ________ kind. 친절해라.

▶ '~하지 마라'는 부정의 명령문은 〈Do+not+동사원형〉의 형태로 써요. 이때 Do not은 ❸ ________ 로 줄여 쓸 수 있어요.

Do it. 그것을 해라. → ❹ ________ do it. 그것을 하지 마라.

▶ 부정의 명령문에서 don't 대신에 never를 쓰면 '절대 ~하지 마라'라는 강한 금지의 의미를 나타내요.

❺ ________ tell me the story. 나에게 절대 그 이야기를 하지 마.

Plus Tip 명령문 앞이나 뒤에 please를 쓰면 공손한 표현이 되어요.
• Please don't run here. 이곳에서 뛰지 마세요.

Plus+ 고르기 1

A 다음 중 알맞은 문장의 종류에 체크(✔)하세요.

		평서문	명령문
1	You always wear a school uniform.	☐	☐
2	Sit down and listen to me, please.	☐	☐
3	She doesn't play the piano at night.	☐	☐
4	Eat lots of vegetables, please.	☐	☐
5	Never run in the classroom.	☐	☐
6	Don't eat too much fast food.	☐	☐
7	You must keep the room clean.	☐	☐
8	Wear sunglassses in the sun.	☐	☐

school uniform 교복
sit down 앉다
lots of 많은
vegetable 채소
sunglasses 선글래스

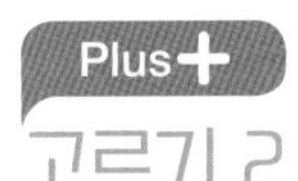

정답 • p. 21

B 다음 괄호 안에서 알맞은 말을 고르세요.

1 (Go / Goes) to bed early.

2 (Stands / Stand) in line at the bus stop.

3 (Don't touch / Don't touches) the painting on the wall.

4 (Don't spend / Doesn't spend) a lot of money on toys.

5 Wash (your / my) hands before lunch.

6 (Never talk / Never don't talk) in class.

7 (Are / Be) quiet for a minute.

stand in line 줄을 서다
bus stop 버스 정류장
touch 만지다
painting 그림
wall 벽
spend 쓰다, 소비하다
quiet 조용한
for a minute 잠시 동안

Level UP!
빈칸 채우기

C 다음 주어진 말을 알맞은 형태로 고쳐 문장을 완성하세요.

1 ____________ up right now. (wake) 지금 당장 일어나라.

2 ____________ a seat belt in the car. (wear) 차 안에서 안전벨트를 착용해라.

3 ____________ this heater. (touch) 이 히터를 만지지 마.

4 Please ____________ angry with me, Mom. (get) 제게 화를 내지 말아 주세요, 엄마.

5 ____________ careful when you wash the dishes. (be) 설거지를 할 때는 조심해.

6 ____________ your best friend's birthday. (forget) 너의 가장 친한 친구의 생일을 잊지 마.

7 ____________ at the crosswalk when the traffic light is green. (cross)
신호등이 녹색일 때 횡단보도를 건너라.

seat belt 안전벨트
heater 히터
get angry with ~에게 화를 내다
careful 조심하는
crosswalk 횡단보도
traffic light 신호등

Build-up Writing

문장 바꿔 쓰기

A 다음 우리말과 같도록 명령문으로 바꿔 쓰세요. (부정 명령문은 축약형을 활용하세요.)

1 You are careful. 너는 조심스럽다.

→ Be careful. 조심해.

2 He wastes money. 그는 돈을 낭비한다.

→ ______________________ 돈을 낭비하지 마라.

3 She was late for school again. 그녀는 또 학교에 지각했다.

→ ______________________ 또 학교에 지각하지 마라.

4 Ann tells me the truth. 앤은 나에게 진실을 말한다.

→ ______________________ 나에게 진실을 말해라.

5 I am afraid of cats. 나는 고양이를 무서워한다.

→ ______________________ 고양이를 무서워하지 마라.

6 They look at the night sky. 그들은 밤하늘을 본다.

→ ______________________ 밤하늘을 봐라.

7 They ran away quickly. 그들은 빨리 도망갔다.

→ ______________________ 빨리 도망가라.

8 I threw away the trash on the street. 나는 쓰레기를 길에 버렸다.

→ ______________________ 쓰레기를 길에 버리지 마라.

9 We took a short rest. 우리는 짧은 휴식을 취했다.

→ ______________________ 짧은 휴식을 취해라.

waste 낭비하다
be afraid of ~을 두려워하다
run away 도망가다
throw away ~을 버리다
trash 쓰레기
take a rest 휴식을 취하다

정답 ● p. 21

문장 배열하기

B 다음 우리말과 같도록 주어진 말을 바르게 배열하여 문장을 완성하세요.

1 하루에 세 번 이를 닦아라. (a day, your teeth, three times, brush)

→ ______________________________

2 너의 선생님 말씀을 잘 들어라. (carefully, listen, to, your teacher)

→ ______________________________

3 제인에 대해 걱정하지 마라. (worry, don't, about, Jane)

→ ______________________________

4 이 강에서는 수영하지 마라. (this river, don't, swim, in)

→ ______________________________

5 매일 많은 물을 마셔라. (water, drink, a lot of, every day)

→ ______________________________

6 매일 아침 아침 식사를 해라. (breakfast, every morning, have)

→ ______________________________

7 너의 친구에게 밤 늦게 전화하지 마라. (late, call, your friend, don't, at night)

→ ______________________________

8 밤에 절대 큰 소리로 노래하지 마라. (at night, sing, loudly, never, songs)

→ ______________________________

9 수업 시간에 너의 휴대 전화를 사용하지 마라. (use, your cell phone, don't, in class)

→ ______________________________

brush one's teeth 이를 닦다
three times 세 번
carefully 신중하게
worry about ~에 대해 걱정하다
a lot of 많은
call 전화하다
loudly 큰 소리로

Grammar Book • Unit 6 p. 76을 확인해 보세요.

20 제안문

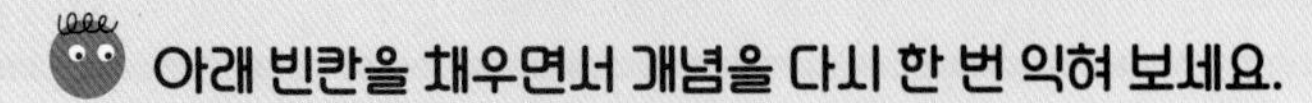
아래 빈칸을 채우면서 개념을 다시 한 번 익혀 보세요.

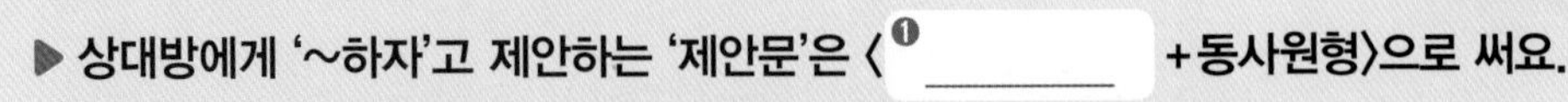
▶ 상대방에게 '~하자'고 제안하는 '제안문'은 〈❶ ________ +동사원형〉으로 써요.

We dance together. 우리는 함께 춤춘다.
→ ❷ ________ dance together. 함께 춤추자.

We meet at five o'clock. 우리는 5시에 만난다.
→ Let's meet at five o'clock. 5시에 ❸ ________.

▶ '~하지 말자'라고 제안할 때는 〈❹ ____________ +동사원형〉으로 써요.

Let's not go to the movies. 영화 보러 가지 말자.
Let's not eat too much chocolate. 초콜릿을 너무 많이 ❺ ____________.

Plus+ 고르기

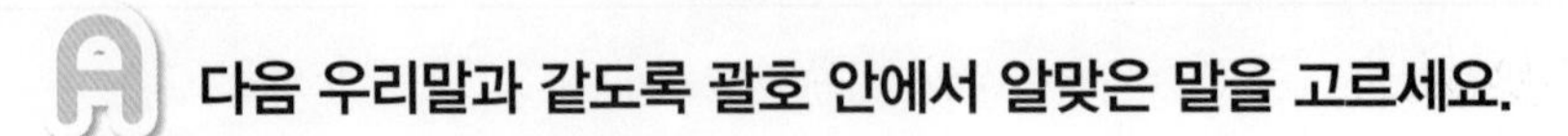
A 다음 우리말과 같도록 괄호 안에서 알맞은 말을 고르세요.

1 (Let's / Let's not) play outside. 밖에 나가서 놀자.

2 (Let's / Let's not) go to the movies. 영화 보러 가자.

3 (Let's / Let's not) spend all our pocket money. 우리 용돈을 다 쓰지 말자.

4 (Let's / Let's not) waste our time and energy. 우리의 시간과 에너지를 낭비하지 말자.

5 (Let's / Let's not) make a snowman in the afternoon. 오후에 눈사람을 만들자.

6 (Let's / Let's not) clean the playground together. 같이 운동장을 청소하자.

7 (Let's / Let's not) wake up the baby. 그 아기를 깨우지 말자.

8 (Let's / Let's not) learn the dance in the afternoon. 오후에 그 춤을 배우자.

snowman 눈사람
wake up ~을 깨우다

정답 ● p. 22

Plus+
고쳐 쓰기

B 다음 문장의 밑줄 친 부분을 바르게 고쳐 쓰세요.

1 Let's studied math together. → ________

2 Let's buys some snacks at the store. → ________

3 Let's went to the concert this weekend. → ________

4 Let's kept the room clean. → ________

5 Let's leaves early tomorrow morning. → ________

store 상점, 가게

Level UP!
바꿔 쓰기

C 다음 평서문을 제안하는 문장으로 바꿔 쓰세요.

1 We meet at the bus stop at five.
→ ________________________________

2 You put on a thick coat.
→ ________________________________

3 We sang the song in a loud voice.
→ ________________________________

4 We didn't go out at night.
→ ________________________________

5 You didn't eat sweet cookies.
→ ________________________________

6 We didn't make fun of this little dog.
→ ________________________________

put on ~을 입다
thick 두꺼운
make fun of ~을 놀리다

Build-up Writing

문장 고쳐 쓰기

A 다음 우리말과 같도록 틀린 부분을 바르게 고쳐 문장을 다시 쓰세요.

1 Let's swims in the pool. 수영장에서 수영하자.
→ ______________________

2 Not let's turn on the TV at night. 밤에 TV를 켜지 말자.
→ ______________________

3 Let not run in the hallway. 복도에서 뛰지 말자.
→ ______________________

4 Let make some pizza together. 같이 피자 만들자.
→ ______________________

5 Let paint the wall green. 벽을 초록색으로 칠하자.
→ ______________________

6 Not let's play soccer on rainy days. 비가 오는 날에는 축구를 하지 말자.
→ ______________________

7 Let's rode a bike at the park. 공원에서 자전거를 타자.
→ ______________________

8 Let's flies a kite in the playground. 운동장에서 연을 날리자.
→ ______________________

9 Let's give bananas to that monkey. 그 원숭이에게 바나나를 주지 말자.
→ ______________________

10 Let's not turn off our phones at the cinema. 영화관에서는 전화기를 끄자.
→ ______________________

pool 수영장
turn on ~을 켜다
hallway 복도
fly a kite 연을 날리다
monkey 원숭이
turn off ~을 끄다
cinema 극장

정답 ● p. 22

문장 배열하기

B 다음 우리말과 같도록 주어진 말을 바르게 배열하여 문장을 완성하세요.

1 다음 달에 부산으로 여행을 가자. (take a trip, let's, next month, to Busan)

→ ____________________

2 짠 음식을 너무 많이 먹지 말자. (eat, not, too much, let's, salty food)

→ ____________________

3 이번 토요일에 이모를 방문하자. (let's, this Saturday, visit, our aunt)

→ ____________________

4 이번 금요일에 파티를 열자. (let's, this Friday, a party, hold)

→ ____________________

5 이번 주말에 쇼핑몰에 가자. (the shopping mall, go to, this weekend, let's)

→ ____________________

6 실내에서 공을 던지지 말자. (not, indoors, let's, a ball, throw)

→ ____________________

7 거실에서 뛰지 말자. (run, let's, in the living room, not)

→ ____________________

8 책을 거기에 두지 말자. (not, put, let's, the book, there)

→ ____________________

9 그들을 큰 소리로 응원하자. (for them, cheer, loudly, let's)

→ ____________________

take a trip 여행 가다
salty 짠
hold a party 파티를 하다
indoors 실내에서
cheer for ~을 응원하다

Grammar Book • Unit 6 ↔ p. 78을 확인해 보세요.

21 감탄문

아래 빈칸을 채우면서 개념을 다시 한 번 익혀 보세요.

▶ 감탄문은 '참 ~하구나!'라고 놀라움이나 슬픔, 기쁨 등을 나타내는 문장으로, how나 ❶ ________, 느낌표(!)를 이용하여 만들어요.

❶ 명사와 명사를 수식하는 형용사가 올 때: What+(a/an)+형용사+명사+주어+동사!

It is a very funny story.

→ ❷ ________ a funny story it is! 그것은 참 재미있는 이야기구나!

❷ 형용사나 부사를 강조: ❸ ________ +형용사(부사)+주어+동사!

He jumps very high.

→ How ❹ ________ he jumps! 그는 참 높게 뛰는구나!

▶ 감탄문 끝에 오는 〈주어+동사〉는 생략할 수 있어요.

What a kind boy (he is)! (그는) 참 친절한 소년이구나!

Plus Tip what의 다양한 쓰임

- What a cute girl she is! 그녀는 참 귀여운 소녀구나! (감탄문)
- ❺ ________ is she doing? 그녀는 무엇을 하고 있니? (의문문)
- What movie did you see? 너는 무슨 영화를 봤니? ❻ (________)

Plus+ 고르기 1

A 다음 중 알맞은 문장의 종류에 체크(✔)하세요.

		평서문	감탄문
1	What a cute dog!	☐	☐
2	The dog looks very ugly.	☐	☐
3	How funny the movie is!	☐	☐
4	What a beautiful day it is!	☐	☐
5	It is a very big hippo.	☐	☐
6	What a healthy food it is!	☐	☐
7	They really look happy.	☐	☐
8	What a lovely baby she is!	☐	☐

ugly 못생긴
hippo 하마
lovely 사랑스러운

정답 • p. 22

고르기 2

B 다음 괄호 안에서 알맞은 말을 고르세요.

1 (What / How) happily the children laugh!

2 (How / What) tall buildings these are!

3 (What / How) sad the movie is!

4 (How / What) a nice shot he takes!

5 (How / What) well the litte girl dances!

6 (What / How) a big dog it is!

7 (How / What) a sweet voice he has!

laugh 웃다
shot 사진
voice 목소리

Level UP!

바꿔 쓰기

C 다음 밑줄 친 부분을 How나 What을 이용하여 감탄문으로 완성하세요.

1 He sings a very beautiful song. → ____________ he sings!

2 It tastes bitter. → ____________ it tastes!

3 Ms. Smith speaks very fast. → ____________ Ms. Smith speaks!

4 He wears a very small jacket. → ____________ he wears!

5 Sue has very old books. → ____________ Sue has!

6 The cat is very smart. → ____________ the cat is!

7 He is a very nice man. → ____________ he is!

bitter 쓴

Build-up Writing

문장 배열하기

A 다음 우리말과 같도록 주어진 말을 바르게 배열하여 문장을 완성하세요.

1 한복이 너무 아름답구나! (how, *hanbok*, is, beautiful)

→ ______________________________

2 그것은 정말 놀라운 이야기구나! (what, story, an, it, is, amazing)

→ ______________________________

3 그들은 정말 웃기는 만화책을 읽는구나! (comic books, they, what, funny, read)

→ ______________________________

4 너는 너무 늦게 왔구나! (late, you, how, came)

→ ______________________________

5 그녀는 정말 키가 크구나! (tall, she, girl, a, is, what)

→ ______________________________

6 그 남자는 정말 유명하구나! (famous, is, how, the man)

→ ______________________________

7 그는 정말 멋진 사진들을 찍었구나! (nice, he, photos, what, took)

→ ______________________________

8 그 게임은 정말 재미있구나! (how, the game, is, exciting)

→ ______________________________

9 그것은 정말 자그만한 캥거루구나! (small, it, what, a, is, kangaroo)

→ ______________________________

amazing 놀라운
comic book 만화책
late 늦게
famous 유명한
photo 사진
exciting 흥미진진한
kangaroo 캥거루

정답 ● p. 22

문장 바꿔 쓰기

B 다음 문장을 감탄문으로 바꿔 쓰세요.

1 It is a very touching movie.
→ ______________________________

2 We had a very wonderful vacation.
→ ______________________________

3 Steve eats very fast.
→ ______________________________

4 The room is very colorful.
→ ______________________________

5 They are very brave heroes.
→ ______________________________

6 The iguana moves very slowly.
→ ______________________________

7 A tiger is a very dangerous animal.
→ ______________________________

8 She is a very careful person.
→ ______________________________

9 Cheetahs run very quickly.
→ ______________________________

touching 감동적인
colorful 다채로운
brave 용감한
hero 영웅
iguana 이구아나
dangerous 위험한
careful 신중한
cheetah 치타

22 부가의문문

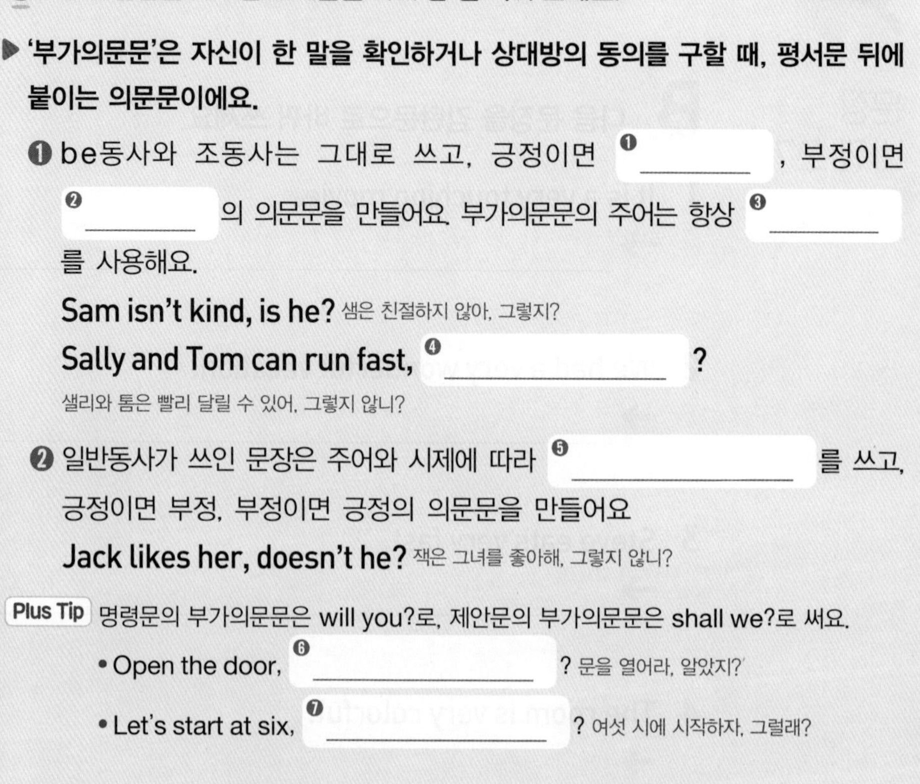

Grammar Book • Unit 6 p. 80을 확인해 보세요.

아래 빈칸을 채우면서 개념을 다시 한 번 익혀 보세요.

▶ '부가의문문'은 자신이 한 말을 확인하거나 상대방의 동의를 구할 때, 평서문 뒤에 붙이는 의문문이에요.

❶ be동사와 조동사는 그대로 쓰고, 긍정이면 ❶ ________, 부정이면 ❷ ________의 의문문을 만들어요. 부가의문문의 주어는 항상 ❸ ________를 사용해요.

Sam isn't kind, is he? 샘은 친절하지 않아, 그렇지?

Sally and Tom can run fast, ❹ ____________?
샐리와 톰은 빨리 달릴 수 있어, 그렇지 않니?

❷ 일반동사가 쓰인 문장은 주어와 시제에 따라 ❺ ____________를 쓰고, 긍정이면 부정, 부정이면 긍정의 의문문을 만들어요

Jack likes her, doesn't he? 잭은 그녀를 좋아해, 그렇지 않니?

Plus Tip 명령문의 부가의문문은 will you?로, 제안문의 부가의문문은 shall we?로 써요.

- Open the door, ❻ ____________? 문을 열어라, 알았지?
- Let's start at six, ❼ ____________? 여섯 시에 시작하자, 그럴래?

Plus+ 고르기

A 다음 괄호 안에서 알맞은 말을 고르세요.

1 He found his pet, (doesn't / didn't) he?

2 Ann doesn't like potato pizza, (does / did) she?

3 Those penguins can swim, (can't / can) they?

4 Tim had a fever, (doesn't / didn't) he?

5 Close the door, (will / won't) you?

6 Let's jump rope, (shall / let's) we?

find 찾다
pet 반려동물
potato 감자
penguin 펭귄
fever 열
jump rope 줄넘기를 하다

문제 듣기

정답 • p. 23

Plus+

빈칸 채우기

B 다음 문장의 빈칸에 알맞은 말을 쓰세요.

1 Peter can't speak Chinese, can ________?

2 We won the first prize, didn't ________?

3 Mary is a very smart girl, isn't ________?

4 Sam and Jane will go to the museum, won't ________?

5 Tom and his friends didn't know the truth, did ________?

6 Steve hates swimming, doesn't ________?

7 Be quiet in the classroom, ________ ________?

8 Let's keep the vegetables fresh, ________ ________?

Chinese 중국어
first prize 1등상
museum 박물관
hate 싫어하다
vegetable 채소
fresh 신선한

Level UP!

동그라미 하고, 빈칸 채우기

C 다음 문장에서 (be)동사나 조동사에 동그라미 하고, 빈칸에 알맞은 말을 쓰세요. (부정어가 포함되어 있으면 부정어까지 동그라미 하세요.)

1 They were dancing, ____________?

2 We don't have to worry, ____________? (Tip!)

3 Sera didn't come home early, ____________?

4 You got a good score, ____________?

5 We will visit the science museum, ____________?

6 Don't make noise in class, ____________?

7 Jenny's brother is good at math, ____________?

8 Helen can type 70 words a minute, ____________?

Plus Tip
have to는 '~해야 한다'라는 의미의 조동사로 must와 바꾸어 쓸 수 있다.

have to ~해야 한다
worry 걱정하다
score 성적, 점수
make noise 떠들다
be good at ~을 잘하다
type 타이핑하다, 타자 치다
minute 분

Build-up Writing

문장 고쳐 쓰기

A 다음 문장에서 틀린 부분을 찾아 바르게 고쳐 문장을 다시 쓰세요.

1 You don't like cats, did you?

→ You don't like cats, do you?

2 He wants to be a police officer, does he?

→

3 Sue can't swim, does she?

→

4 Tim doesn't like sweet potatoes, does Tim?

→

5 Let's take care of this little bird, will you?

→

6 Do your best, won't you?

→

7 Don't run indoors, do you?

→

8 Let's not throw away the trash, will we?

→

9 You can't speak Japanese, do you?

→

police officer 경찰관
sweet potato 고구마
take care of ~을 돌보다
do one's best 최선을 다하다
Japanese 일본어

정답 ● p. 23

문장 배열하기

B 다음 우리말과 같도록 주어진 말을 바르게 배열하여 문장을 완성하세요.

1 너는 일찍 일어나야 하지, 그렇지 않니? (you, get up, don't, have to, early, you)

→ ______________________________

2 케이트는 캐나다 출신이 아니야, 그렇지? (come from, does, Kate, she, doesn't, Canada)

→ ______________________________

3 너는 아침을 먹지 않았어, 그렇지? (you, eat, breakfast, did, didn't, you)

→ ______________________________

4 팀은 이탈리아 음식을 좋아하지 않아, 그렇지? (doesn't, he, Tim, like, Italian food, does)

→ ______________________________

5 몰리는 한국말을 못해, 그렇지? (can't, she, Korean, speak, can, Molly)

→ ______________________________

6 너의 시간을 낭비하지 마, 알았지? (waste your time, don't, you, will)

→ ______________________________

7 천천히 해, 알았지? (take, will, your time, you)

→ ______________________________

8 그 젊은이들은 춤을 추고 있었어, 그렇지 않니?
(were, they, dancing, the young people, weren't)

→ ______________________________

9 저 캥거루의 사진을 찍자, 그럴래? (let's, the kangaroo, shall, take some photos of, we)

→ ______________________________

come from
~ 출신이다

Italian food
이탈리아 음식

Korean 한국어

take one's time
천천히 하다

Unit 6 Review Test

1 다음 빈칸에 공통으로 알맞은 것을 고르세요.

- ______ did you enjoy the most?
- ______ a tall man he is!

① How ② What
③ Which ④ When
⑤ Where

2~4 다음 괄호 안에서 알맞은 말을 고르세요.

2 (What / How) cute kittens they are!

3 Don't leave the book on the floor, (will you / won't you)?

4 Tom lost his phone last night, (did he / didn't he)?

5~6 다음 빈칸에 알맞은 것을 고르세요.

5 Please ______ me your phone number.

① give ② gives ③ gave
④ giving ⑤ to give

6 Let's order some hamburgers, ______?

① will you ② let's we
③ shall we ④ won't we
⑤ will we

7 다음 빈칸에 알맞은 말이 나머지와 다른 것을 고르세요.

① Turn off the TV, ______?
② Close your book, ______?
③ You won't go on a picnic, ______?
④ You will go to the concert, ______?
⑤ Don't paint the door black, ______?

8~9 다음 중 틀린 문장을 고르세요.

8 ① Let's not play outside, shall we?
② What a beautiful flower it is!
③ Don't runs in the classroom.
④ Let's go shopping tomorrow.
⑤ What a cute puppy it is!

9 ① Don't swim in this river.
② Let's buys some cookies.
③ Never give up on your dream.
④ Let's not hang the picture there.
⑤ It will keep us safe from rain, won't it?

10 다음 밑줄 친 부분 중 틀린 것을 고르세요.
① You can speak Chinese, can't you?
② Rin was late for school, didn't she?
③ Jim orders a hamburger, does he?
④ You are sleepy and tired, aren't you?
⑤ Your uncle didn't like potatoes, did he?

11 다음 문장에서 틀린 부분을 찾아 바르게 고쳐 쓰세요.

Please speak more slowly, won't you?

_______ ➜ _______

서술형

12 다음 문장을 명령문으로 바꿔 쓰세요.

You wear a helmet when you ride a bike.

➜ ____________________

13~14 다음 우리말과 같도록 주어진 말을 바르게 배열하여 문장을 완성하세요.

13 그것은 정말 다채로운 우산이구나!

➜ ____________________
(umbrella, what, it, colorful, a, is)

14 음악 소리를 줄여, 알았지?

➜ ____________________
(you, the music, turn down, will)

Write about you!

15 다음과 같이 방과 후에 친구와 하고 싶은 일을 제안하는 문장을 완성해 봅시다.

Let's play basketball after school.

____

형용사 & 부사의 비교급과 최상급

규칙 변화형

대부분의 경우: -er / -est

원급	비교급	최상급
tall 키가 큰	taller	tallest
short 키가 작은	shorter	shortest

-e로 끝나는 경우: -r / -st

원급	비교급	최상급
nice 좋은	nicer	nicest
large 큰	larger	largest
wide 넓은	wider	widest
cute 귀여운	cuter	cutest
brave 용감한	braver	bravest
safe 안전한	safer	safest

〈자음 + y〉로 끝나는 경우: y를 i로 바꾸고 -er / -est

원급	비교급	최상급
happy 행복한	happier	happiest
pretty 예쁜	prettier	prettiest
easy 쉬운	easier	easiest
busy 바쁜	busier	busiest
funny 재미있는	funnier	funniest
heavy 무거운	heavier	heaviest
dirty 더러운	dirtier	dirtiest
ugly 못생긴	uglier	ugliest
early 이른	earlier	earliest

〈짧은 모음 + 짧은 자음〉으로 끝나는 경우: 끝 자음 한 번 더 + -er / -est

원급	비교급	최상급
hot 더운	hotter	hottest
big 큰	bigger	biggest
sad 슬픈	sadder	saddest
fat 뚱뚱한	fatter	fattest
thin 마른	thinner	thinnest

긴 단어, -ly로 끝나는 부사: 원급 앞에 more / most

원급	비교급	최상급
famous 유명한	more famous	most famous
handsome 잘생긴	more handsome	most handsome
difficult 어려운	more difficult	most difficult
beautiful 아름다운	more beautiful	most beautiful
important 중요한	more important	most important
dangerous 위험한	more dangerous	most dangerous
expensive 비싼	more expensive	most expensive
quickly 빠르게	more quickly	most quickly
slowly 느리게	more slowly	most slowly
easily 쉽게	more easily	most easily

불규칙 변화형

원급	비교급	최상급
good 좋은 / well 잘	better	best
bad 나쁜 / ill 아픈	worse	worst
little 적은	less	least
many / much 많은	more	most
far 먼 / 멀리	farther	farthest

Memo